상우 별 연산 학습지

응용 연산

C2
초3~초4

여러 가지 분수

Creative to Math

씨투엠

응용연산 : 상위권으로 가는 문제해결 연산 학습지

요즘 아이들은 초등학교 입학 전에 연산 문제집 한 권 정도는 풀어본 경험이 있습니다. 어릴 때부터 연산 문제를 많이 풀었기 때문에 아이들은 아직 학교에서 배우지 않은 계산 문제를 슥슥 풀어서 부모님들을 흐뭇하게 만들기도 합니다. 그런데 아이들의 연산 능력은 날로 높아지지만 수학 실력은 과거에 비해 그다지 늘지 않은 것 같습니다. 사실 진짜 수학 실력은 연산 문제나 사고력 수학 문제를 주로 푸는 초등 저학년 때는 잘 드러나지 않습니다. 응용 문제를 본격적으로 풀기 시작하는 초등 3, 4학년이 되어서야 아이의 수학 실력을 판별할 수 있습니다.

초등 수학에서 연산이 가장 중요한 것은 부정할 수 없는 사실입니다. 중학생, 고등학생이 되어서 부족한 연산 능력을 키우는 것은 거의 불가능합니다. 이러한 연산의 특수성 때문에 아이들은 어린 나이부터 연산을 반복적으로 연습하여 실력을 키우려고 합니다. 이렇게 열심히 연산을 공부하는데도 왜 어떤 아이들은 수학 문제를 잘 풀지 못하는 것일까요? 그 이유는 현재 연산 학습의 목적이 단지 '계산을 잘 하는 것'이 되어버렸기 때문입니다. 연산은 연산 자체가 목적이 될 수 없으며 수학의 진짜 목표인 문제를 잘 풀기 위한 수단으로 연산을 학습해야 합니다.

과거 초등 수학 교과서의 연산 단원은 ① 원리와 연습 ② 문장제 활용의 단순한 구성이었습니다만 요즘의 교과서는 많이 달라졌습니다. 원리와 연습은 그대로이거나 조금 줄었지만 연산을 응용하는 방식은 좀 더 다양해졌습니다. 계산 능력의 향상만을 꾀하는 것이 아니라 여러 가지 퍼즐이나 수학적 상황 등을 해결할 수 있는 '응용력'에 초점을 맞추고 있다는 것을 보여주는 변화입니다. 따라서 저희는 연산 학습지도 원리나 연습 위주에서 벗어나 실제 문제를 해결할 수 있는 능력에 포인트를 맞추어야 한다고 생각합니다.

'연산은 잘 하는데 수학 문제는 왜 못 풀까요?'에 대한 대답이자 대안으로 저희는 「응용연산」이라는 새로운 컨셉의 연산 학습지를 만들었습니다. 연산 원리를 이해하고 연습하는 것에 그치지 않고, 익힌 것을 활용하는 방법을 바로 보여줄 수 있어야 아이들이 수학 문제에 연산을 효과적으로 적용할 수 있습니다. 연습은 꼭 필요한 만큼만 하고, 더 중요한 응용 문제에 바로 도전함으로써 연산과 문제 해결이 단절되지 않게 하는 것이 「응용연산」에서 기대하는 가장 큰 목표입니다.

「응용연산」을 통해 아이들이 왜 연산을 해야 하는지 스스로 느낄 수 있을 것이라 자신합니다. 이제 연산은 '원리'나 '연습'이 아닌 스스로 문제를 해결할 수 있는 '응용력'입니다.

응용연산의 구성과 특징

- 매일 부담없이 4쪽씩 연산 학습
- 매주 4일간 단계별 연산 학습과 응용 문제를 통한 연산 실력 확인
- 매주 1일 형성평가로 테스트 및 복습

주차별 구성

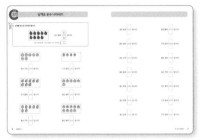

원리연산
대표 문제를 통해 학습하는 매일 새로운 단계별 연산 학습

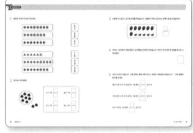

응용연산
기본 문제와 응용 문제를 통한 응용력과 문제해결력 증진

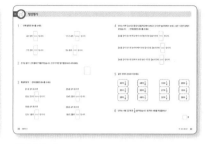

형성평가
가장 중요한 유형을 다시 한번 복습하며 주차 학습 마무리

1주차	1일	2일	3일	4일	5일
	6쪽 ~ 9쪽	10쪽 ~ 13쪽	14쪽 ~ 17쪽	18쪽 ~ 21쪽	22쪽 ~ 24쪽

2주차	1일	2일	3일	4일	5일
	26쪽 ~ 29쪽	30쪽 ~ 33쪽	34쪽 ~ 37쪽	38쪽 ~ 41쪽	42쪽 ~ 44쪽

3주차	1일	2일	3일	4일	5일
	46쪽 ~ 49쪽	50쪽 ~ 53쪽	54쪽 ~ 57쪽	58쪽 ~ 61쪽	62쪽 ~ 64쪽

4주차	1일	2일	3일	4일	5일
	66쪽 ~ 69쪽	70쪽 ~ 73쪽	74쪽 ~ 77쪽	78쪽 ~ 81쪽	82쪽 ~ 84쪽

정답 및 해설

문제와 답을 한눈에 볼 수 있습니다.

이 책의 차례

1주차

분수 나타내기

분수로 나타내는 방법 알아보기

낱개로 분수 나타내기

낱개를 분수로 나타내어 봅시다.

5는 9의 $\dfrac{5}{9}$ 입니다.

전체가 **9**개일 때 그중 **5**개를 분수로 나타내면 $\dfrac{5}{9}$ ←부분의 수 ←전체의 수

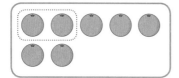

2는 7의 $\dfrac{\boxed{}}{\boxed{}}$ 입니다.

1은 4의 $\dfrac{\boxed{}}{\boxed{}}$ 입니다.

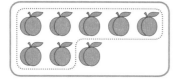

7은 8의 $\dfrac{\boxed{}}{\boxed{}}$ 입니다.

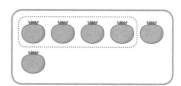

4는 6의 $\dfrac{\boxed{}}{\boxed{}}$ 입니다.

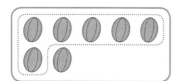

6은 7의 $\dfrac{\boxed{}}{\boxed{}}$ 입니다.

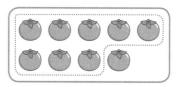

8은 9의 $\dfrac{\boxed{}}{\boxed{}}$ 입니다.

3은 4의 $\dfrac{\square}{\square}$ 입니다.

6은 8의 $\dfrac{\square}{\square}$ 입니다.

6은 4의 $\dfrac{\square}{\square}$ 입니다.

7은 3의 $\dfrac{\square}{\square}$ 입니다.

5는 7의 $\dfrac{\square}{\square}$ 입니다.

8은 3의 $\dfrac{\square}{\square}$ 입니다.

6은 5의 $\dfrac{\square}{\square}$ 입니다.

4는 7의 $\dfrac{\square}{\square}$ 입니다.

9는 2의 $\dfrac{\square}{\square}$ 입니다.

2는 5의 $\dfrac{\square}{\square}$ 입니다.

5는 3의 $\dfrac{\square}{\square}$ 입니다.

1은 4의 $\dfrac{\square}{\square}$ 입니다.

3은 2의 $\dfrac{\square}{\square}$ 입니다.

7은 5의 $\dfrac{\square}{\square}$ 입니다.

1 알맞은 것끼리 선으로 이으세요.

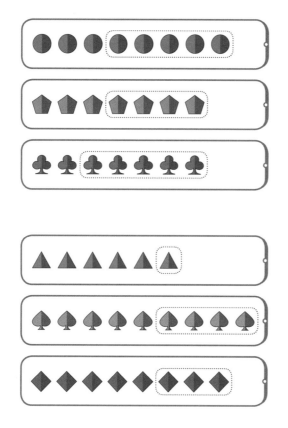

$\dfrac{5}{7}$

$\dfrac{5}{8}$

$\dfrac{4}{7}$

$\dfrac{1}{6}$

$\dfrac{4}{9}$

$\dfrac{3}{8}$

2 분수로 나타내세요.

1은 7의 $\dfrac{}{}$ 6은 7의 $\dfrac{}{}$

7은 7의 $\dfrac{}{}$ 9는 7의 $\dfrac{}{}$

3 다람쥐가 도토리 **12**개 중 **5**개를 먹었습니다. 다람쥐가 먹은 도토리는 전체의 몇 분의 몇일까요?

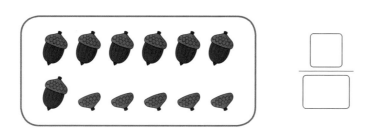

4 연우는 **10**자루의 연필 중에서 **3**자루를 친구에게 주었습니다. 연우가 친구에게 준 연필을 분수로 나타내세요.

5 사과 **15**개가 있습니다. 그중 **8**개는 할머니께 드리고, **4**개는 이웃집에 드렸습니다. ☐ 안에 알맞은 분수를 쓰세요.

할머니께 드린 사과 **8**개는 **15**개의 $\dfrac{\square}{\square}$ 입니다.

이웃집에 드린 사과 **4**개는 **15**개의 $\dfrac{\square}{\square}$ 입니다.

남은 사과는 **15**개의 $\dfrac{\square}{\square}$ 입니다.

묶음으로 분수 나타내기

개념
원리

똑같이 묶은 다음 분수로 나타내어 봅시다.

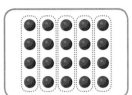

8은 20을 똑같이 ⬜5⬜ 묶음으로 나눈 것 중의 ⬜2⬜ 묶음입니다.

8은 20의 $\dfrac{2}{5}$ 입니다.

구슬 20개를 똑같이 4개씩 묶으면 5묶음이 됩니다.

구슬 8개는 5묶음으로 나눈 것 중의 2묶음이므로 $\dfrac{2}{5}$ ← 부분 묶음의 수
← 전체 묶음의 수

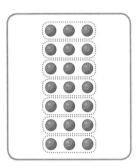

9는 21을 똑같이 ⬜ 묶음으로 나눈 것 중의 ⬜ 묶음입니다.

9는 21의 ⬜ 입니다.

30은 36을 똑같이 ⬜ 묶음으로 나눈 것 중의 ⬜ 묶음입니다.

30은 36의 ⬜ 입니다.

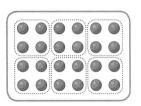

16은 24를 똑같이 ⬜ 묶음으로 나눈 것 중의 ⬜ 묶음입니다.

16은 24의 ⬜ 입니다.

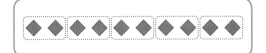

2는 10의 $\dfrac{\square}{5}$

8은 10의 $\dfrac{\square}{5}$

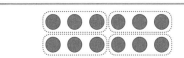

3은 12의 $\dfrac{\square}{4}$

9는 12의 $\dfrac{\square}{4}$

4는 16의 $\dfrac{\square}{4}$

8은 16의 $\dfrac{\square}{4}$

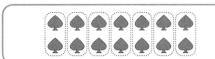

2는 14의 $\dfrac{\square}{7}$

6은 14의 $\dfrac{\square}{7}$

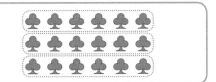

6은 18의 $\dfrac{\square}{3}$

12는 18의 $\dfrac{\square}{3}$

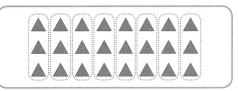

3은 24의 $\dfrac{\square}{8}$

15는 24의 $\dfrac{\square}{8}$

1 그림을 보고 ☐ 안에 알맞은 분수를 쓰세요.

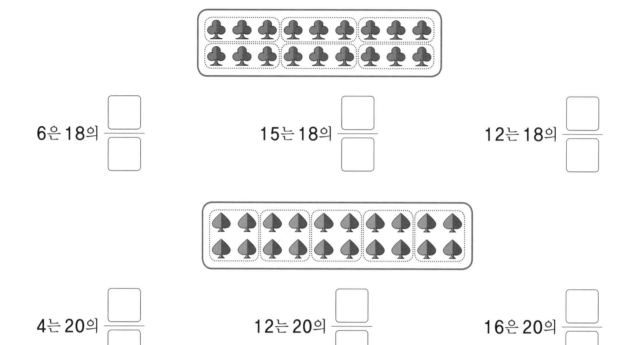

6은 18의 $\dfrac{}{}$

15는 18의 $\dfrac{}{}$

12는 18의 $\dfrac{}{}$

4는 20의 $\dfrac{}{}$

12는 20의 $\dfrac{}{}$

16은 20의 $\dfrac{}{}$

2 묶음에 맞게 ☐ 안에 알맞은 분수를 쓰세요.

16을 4씩 묶으면

4는 16의 $\dfrac{}{}$ 입니다.

20을 5씩 묶으면

15는 20의 $\dfrac{}{}$ 입니다.

30을 5씩 묶으면

25는 30의 $\dfrac{}{}$ 입니다.

28을 7씩 묶으면

14는 28의 $\dfrac{}{}$ 입니다.

3 다음은 18을 여러 가지 방법으로 묶은 것입니다. 묶음에 맞게 ☐ 안에 알맞은 분수를 쓰세요.

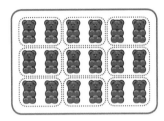

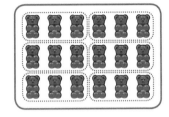

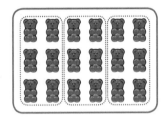

12는 18의 $\dfrac{\square}{\square}$

12는 18의 $\dfrac{\square}{\square}$

12는 18의 $\dfrac{\square}{\square}$

4 참외가 21개 있습니다. 그중 6개는 할머니께 드리고, 12개는 이웃집에 드렸습니다. ☐ 안에 알맞은 분수를 쓰세요.

21을 3씩 묶으면 할머니께 드린 참외 6개는 21개의 $\dfrac{\square}{\square}$ 입니다.

21을 3씩 묶으면 이웃집에 드린 참외 12개는 21개의 $\dfrac{\square}{\square}$ 입니다.

21을 3씩 묶으면 남은 참외는 21개의 $\dfrac{\square}{\square}$ 입니다.

단위분수만큼

개념
원리

분자가 1인 분수를 단위분수라고 합니다. 단위분수만큼은 얼마인지 알아봅시다.

24의 $\dfrac{1}{4}$ 은 $\boxed{6}$ ← $24 \div 4$

구슬 24개를 4묶음으로 만들면 1묶음이 6입니다.

$$24 \div 4 = 6$$

24의 $\dfrac{1}{4}$ 은 $24 \div 4$ 의 몫과 같습니다.

24의 $\dfrac{1}{3}$ 은 $\boxed{8}$ ← $24 \div 3$

구슬 24개를 3묶음으로 만들면 1묶음이 8입니다.

$$24 \div 3 = 8$$

24의 $\dfrac{1}{3}$ 은 $24 \div 3$ 의 몫과 같습니다.

30의 $\dfrac{1}{5}$ 은 $\boxed{}$

28의 $\dfrac{1}{7}$ 은 $\boxed{}$

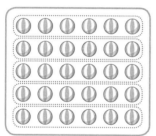

15의 $\dfrac{1}{5}$ 은 $\boxed{}$

32의 $\dfrac{1}{4}$ 은 $\boxed{}$

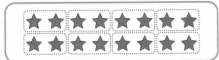

16의 $\dfrac{1}{8}$ 은 ☐

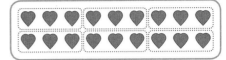

18의 $\dfrac{1}{6}$ 은 ☐

10의 $\dfrac{1}{2}$ 은 ☐

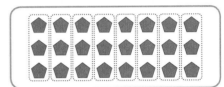

24의 $\dfrac{1}{8}$ 은 ☐

14의 $\dfrac{1}{7}$ 은 ☐

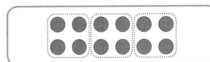

12의 $\dfrac{1}{3}$ 은 ☐

20의 $\dfrac{1}{5}$ 은 ☐

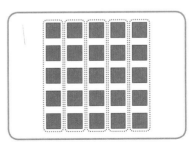

25의 $\dfrac{1}{5}$ 은 ☐

1 같은 것끼리 선으로 이으세요.

$42의 \dfrac{1}{6}$

$54의 \dfrac{1}{9}$

$27의 \dfrac{1}{3}$

$81의 \dfrac{1}{9}$

$35의 \dfrac{1}{5}$

$48의 \dfrac{1}{8}$

$15의 \dfrac{1}{3}$

$40의 \dfrac{1}{5}$

$36의 \dfrac{1}{9}$

$24의 \dfrac{1}{3}$

$24의 \dfrac{1}{6}$

$35의 \dfrac{1}{7}$

2 ☐ 안에 알맞은 수를 쓰세요.

$5의 \dfrac{1}{5}$은 ☐ 입니다.

$6의 \dfrac{1}{3}$은 ☐ 입니다.

$9의 \dfrac{1}{3}$은 ☐ 입니다.

$15의 \dfrac{1}{5}$은 ☐ 입니다.

$24의 \dfrac{1}{12}$은 ☐ 입니다.

$36의 \dfrac{1}{6}$은 ☐ 입니다.

3 ☐ 안에 알맞은 수를 쓰세요.

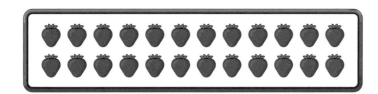

24의 $\frac{1}{2}$ 은 ☐ 입니다.   24의 $\frac{1}{3}$ 은 ☐ 입니다.

24의 $\frac{1}{4}$ 은 ☐ 입니다.   24의 $\frac{1}{6}$ 은 ☐ 입니다.

24의 $\frac{1}{8}$ 은 ☐ 입니다.   24의 $\frac{1}{12}$ 은 ☐ 입니다.

4 철민이는 구슬 28개 중 $\frac{1}{4}$ 을 동생에게 주었습니다. 동생에게 준 구슬은 몇 개일까요?

☐ 개

5 정희는 우표를 36장 가지고 있습니다. 그중에서 $\frac{1}{6}$ 을 동생에게 주고 $\frac{1}{4}$ 을 언니에게 주려고 합니다.

동생과 언니에게 준 우표는 각각 몇 장일까요?

동생에게 준 우표: ☐ 장, 언니에게 준 우표: ☐ 장

분수만큼

개념
원리

분수만큼은 얼마인지 알아봅시다.

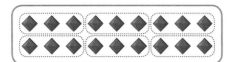

18의 $\dfrac{1}{6}$은 $\boxed{3}$ ←$18 \div 6$

$\dfrac{5}{6}$는 $\dfrac{1}{6}$이 $\boxed{5}$ 개

18의 $\dfrac{5}{6}$는 $\boxed{15}$ ←3×5

보석 18개를 3개씩 묶으면 6묶음이 됩니다. 18의 $\dfrac{5}{6}$는 6묶음 중 5묶음이므로 15입니다.

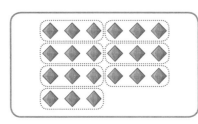

21의 $\dfrac{1}{7}$은 $\boxed{}$

$\dfrac{4}{7}$는 $\dfrac{1}{7}$이 $\boxed{}$ 개

21의 $\dfrac{4}{7}$는 $\boxed{}$

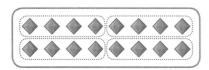

16의 $\dfrac{1}{4}$은 $\boxed{}$

$\dfrac{3}{4}$은 $\dfrac{1}{4}$이 $\boxed{}$ 개

16의 $\dfrac{3}{4}$은 $\boxed{}$

25의 $\dfrac{1}{5}$은 ☐입니다.

25의 $\dfrac{3}{5}$은 ☐입니다.

27의 $\dfrac{1}{3}$은 ☐입니다.

27의 $\dfrac{2}{3}$는 ☐입니다.

18의 $\dfrac{1}{3}$은 ☐입니다.

18의 $\dfrac{2}{3}$는 ☐입니다.

20의 $\dfrac{1}{4}$은 ☐입니다.

20의 $\dfrac{3}{4}$은 ☐입니다.

24의 $\dfrac{1}{6}$은 ☐입니다.

24의 $\dfrac{4}{6}$는 ☐입니다.

14의 $\dfrac{1}{7}$은 ☐입니다.

14의 $\dfrac{5}{7}$는 ☐입니다.

30의 $\dfrac{1}{5}$은 ☐입니다.

30의 $\dfrac{4}{5}$는 ☐입니다.

28의 $\dfrac{1}{4}$은 ☐입니다.

28의 $\dfrac{2}{4}$는 ☐입니다.

1 그림을 보고 ☐ 안에 알맞은 수를 쓰세요.

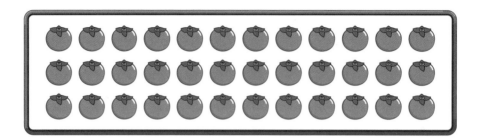

36의 $\dfrac{2}{3}$ 는 ☐

36의 $\dfrac{3}{4}$ 은 ☐

36의 $\dfrac{3}{6}$ 은 ☐

36의 $\dfrac{5}{6}$ 는 ☐

36의 $\dfrac{4}{9}$ 는 ☐

36의 $\dfrac{9}{12}$ 는 ☐

2 ☐ 안에 알맞은 수를 쓰세요.

5의 $\dfrac{3}{5}$ 은 ☐ 입니다.

6의 $\dfrac{2}{3}$ 는 ☐ 입니다.

12의 $\dfrac{2}{4}$ 는 ☐ 입니다.

16의 $\dfrac{3}{4}$ 은 ☐ 입니다.

18의 $\dfrac{4}{6}$ 는 ☐ 입니다.

24의 $\dfrac{5}{8}$ 는 ☐ 입니다.

3 다음 중 가장 큰 수에 ○표, 가장 작은 수에 △표 하세요.

25의 $\frac{2}{5}$　　35의 $\frac{2}{5}$　　20의 $\frac{4}{5}$　　35의 $\frac{3}{7}$　　30의 $\frac{3}{5}$

32의 $\frac{3}{8}$　　28의 $\frac{2}{4}$　　21의 $\frac{3}{7}$　　24의 $\frac{4}{6}$　　27의 $\frac{5}{9}$

4 다연이의 하루입니다. ☐ 안에 알맞은 수를 쓰세요.

· 하루 24시간의 $\frac{1}{3}$ 은 잠을 잡니다. ➡ ☐ 시간

· 하루 24시간의 $\frac{1}{4}$ 은 공부를 합니다. ➡ ☐ 시간

· 하루 24시간의 $\frac{1}{8}$ 은 밥을 먹습니다. ➡ ☐ 시간

· 남은 ☐ 시간은 취미 활동을 합니다.

5 호성이는 색종이 24장 중 $\frac{3}{4}$ 을 썼습니다. 남은 색종이는 몇 장일까요?

☐ 장

1 ☐ 안에 알맞은 분수를 쓰세요.

4는 5의 $\dfrac{\square}{\square}$ 입니다.

11은 4의 $\dfrac{\square}{\square}$ 입니다.

7은 2의 $\dfrac{\square}{\square}$ 입니다.

5는 6의 $\dfrac{\square}{\square}$ 입니다.

2 진구는 딸기 12개 중에 7개를 먹었습니다. 진구가 먹은 딸기를 분수로 나타내세요.

$\square$

3 묶음에 맞게 ☐ 안에 알맞은 분수를 쓰세요.

21을 3씩 묶으면

15는 21의 $\dfrac{\square}{\square}$ 입니다.

25를 5씩 묶으면

10은 25의 $\dfrac{\square}{\square}$ 입니다.

16을 4씩 묶으면

12는 16의 $\dfrac{\square}{\square}$ 입니다.

28을 4씩 묶으면

16은 28의 $\dfrac{\square}{\square}$ 입니다.

4 연수는 하루 **24**시간 중 **6**시간을 학교에서 보내고 **3**시간은 놀이터에서 보내고, 남은 시간은 집에서 보냈습니다. ☐ 안에 알맞은 분수를 쓰세요.

24를 **3**씩 묶으면 학교에서 보낸 **6**시간은 **24**시간의 $\dfrac{\Box}{\Box}$ 입니다.

24를 **3**씩 묶으면 놀이터에서 보낸 **3**시간은 **24**시간의 $\dfrac{\Box}{\Box}$ 입니다.

24를 **3**씩 묶으면 집에서 보낸 남은 시간은 **24**시간의 $\dfrac{\Box}{\Box}$ 입니다.

5 같은 것끼리 선으로 이으세요.

40의 $\dfrac{1}{8}$	48의 $\dfrac{1}{8}$	16의 $\dfrac{1}{4}$	28의 $\dfrac{1}{7}$
35의 $\dfrac{1}{5}$	30의 $\dfrac{1}{6}$	27의 $\dfrac{1}{3}$	16의 $\dfrac{1}{2}$
36의 $\dfrac{1}{6}$	49의 $\dfrac{1}{7}$	32의 $\dfrac{1}{4}$	36의 $\dfrac{1}{4}$

6 민우는 사탕 **32**개 중 $\dfrac{1}{8}$ 을 먹었습니다. 몇 개의 사탕을 먹었을까요?

☐ 개

7 ☐ 안에 알맞은 수를 쓰세요.

$$16의 \frac{1}{4} 은 \boxed{} 입니다.$$

$$16의 \frac{3}{4} 은 \boxed{} 입니다.$$

$$21의 \frac{1}{7} 은 \boxed{} 입니다.$$

$$21의 \frac{5}{7} 는 \boxed{} 입니다.$$

$$25의 \frac{1}{5} 은 \boxed{} 입니다.$$

$$25의 \frac{2}{5} 는 \boxed{} 입니다.$$

$$18의 \frac{1}{3} 은 \boxed{} 입니다.$$

$$18의 \frac{2}{3} 는 \boxed{} 입니다.$$

8 ☐ 안에 알맞은 수를 쓰세요.

$$8의 \frac{3}{4} 은 \boxed{} 입니다.$$

$$10의 \frac{4}{5} 는 \boxed{} 입니다.$$

$$20의 \frac{3}{5} 은 \boxed{} 입니다.$$

$$28의 \frac{3}{4} 은 \boxed{} 입니다.$$

$$24의 \frac{6}{8} 은 \boxed{} 입니다.$$

$$14의 \frac{2}{7} 는 \boxed{} 입니다.$$

9 소정이는 한 달 30일 중 $\frac{2}{5}$ 는 책을 읽었습니다. 책을 읽지 않은 날은 며칠일까요?

$$\boxed{} 일$$

2주차

분수의 종류

진분수, 가분수, 대분수 알아보기

진분수와 가분수

↑가 가리키는 분수를 쓰고, 진분수인지 가분수인지 알아봅시다.

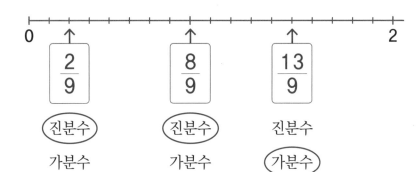

$\frac{2}{9}$ $\frac{8}{9}$ $\frac{13}{9}$

$\frac{1}{9}, \frac{2}{9}, \frac{3}{9}$과 같이 분자가 분모보다 작은 분수를 진분수라고 하고,

$\frac{9}{9}, \frac{10}{9}, \frac{11}{9}$과 같이 분자가 분모와 같거나 분모보다 큰 분수를 가분수라고 합니다.

$\frac{4}{7}$ $\frac{7}{7}$ $\frac{13}{7}$

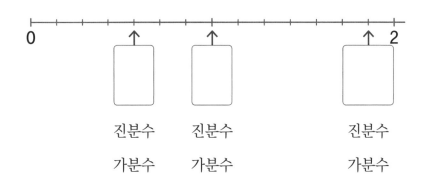

$\frac{2}{5}$ $\frac{6}{5}$ $\frac{9}{5}$

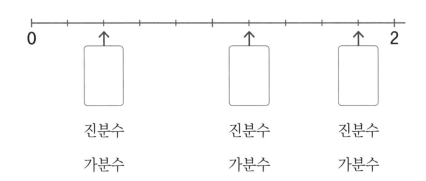

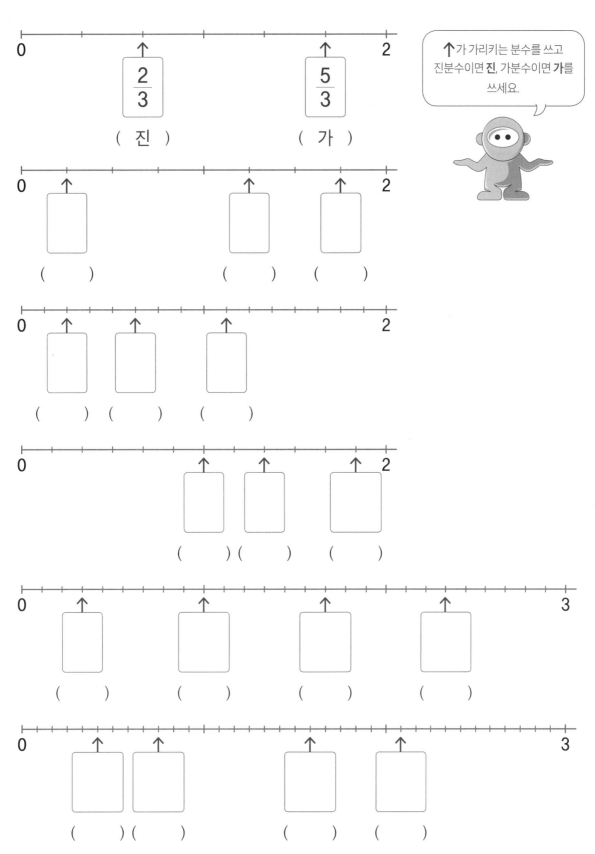

1 진분수를 모두 찾아 ◯표 하세요.

$$\frac{1}{2} \qquad \frac{3}{4} \qquad \frac{7}{6} \qquad \frac{3}{3} \qquad \frac{1}{5} \qquad \frac{3}{6} \qquad \frac{2}{3}$$

2 가분수를 모두 찾아 ◯표 하세요.

$$\frac{3}{10} \qquad \frac{7}{3} \qquad \frac{4}{5} \qquad \frac{11}{11} \qquad \frac{4}{3} \qquad \frac{5}{9} \qquad \frac{8}{7}$$

3 수 카드 3장 중에서 2장을 사용하여 진분수와 가분수를 각각 3개씩 만드세요.

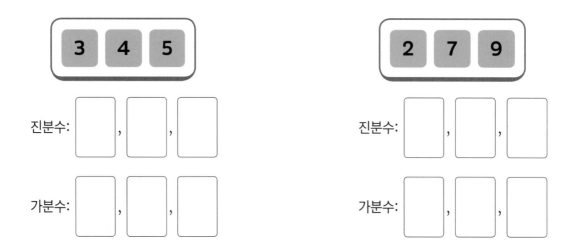

진분수: ☐ , ☐ , ☐

가분수: ☐ , ☐ , ☐

진분수: ☐ , ☐ , ☐

가분수: ☐ , ☐ , ☐

4 다음 중 잘못 설명한 사람은 누구일까요?

재호: $\dfrac{3}{4}$은 1보다 작고, 진분수라고 해.

승철: $\dfrac{5}{4}$는 1보다 크고, 가분수라고 해.

세희: $\dfrac{4}{4}$는 1과 같은 분수로 진분수도 아니고, 가분수도 아니야.

5 다음 분수를 모두 쓰세요.

분모가 5인 진분수

분모가 1보다 크고 분자가 5인 가분수

6 딸기맛 우유 2잔을 만드는 데 필요한 재료는 다음과 같습니다.

딸기: $\dfrac{5}{3}$컵, 시럽: $\dfrac{4}{9}$컵, 설탕: $\dfrac{2}{5}$컵, 우유: $\dfrac{10}{7}$컵

필요한 양이 진분수인 재료는 무엇일까요? ☐ , ☐

필요한 양이 가분수인 재료는 무엇일까요? ☐ , ☐

대분수

대분수를 알아봅시다.

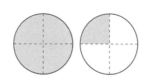

1과 $\dfrac{1}{4}$은 $1\dfrac{1}{4}$이라고 쓰고, 1과 4분의 1이라고 읽습니다.

$1\dfrac{1}{4}$과 같이 자연수와 진분수로 이루어진 분수를 대분수라고 합니다.

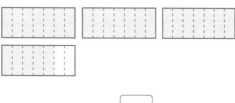

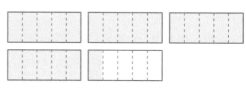

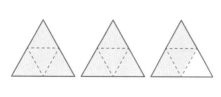

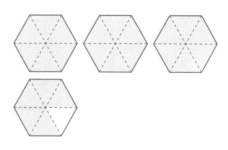

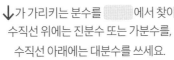 ↓가 가리키는 분수를 ▨에서 찾아
수직선 위에는 진분수 또는 가분수를,
수직선 아래에는 대분수를 쓰세요.

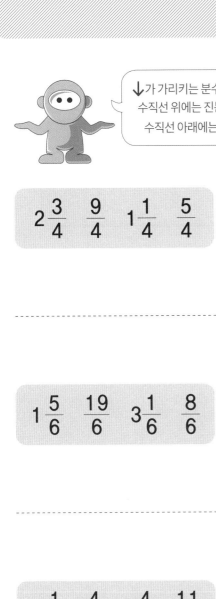

$2\dfrac{3}{4}$ $\dfrac{9}{4}$ $1\dfrac{1}{4}$ $\dfrac{5}{4}$

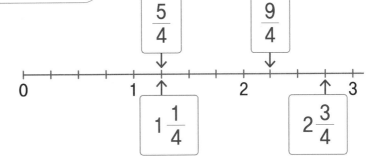

$1\dfrac{5}{6}$ $\dfrac{19}{6}$ $3\dfrac{1}{6}$ $\dfrac{8}{6}$

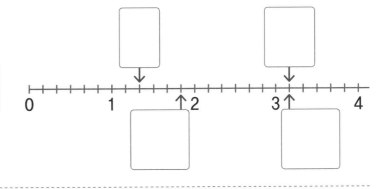

$2\dfrac{1}{5}$ $\dfrac{4}{5}$ $1\dfrac{4}{5}$ $\dfrac{11}{5}$

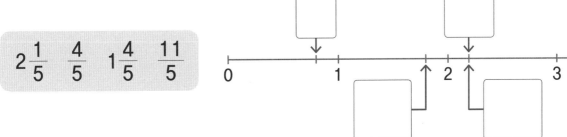

$5\dfrac{2}{3}$ $\dfrac{17}{3}$ $2\dfrac{1}{3}$ $\dfrac{11}{3}$

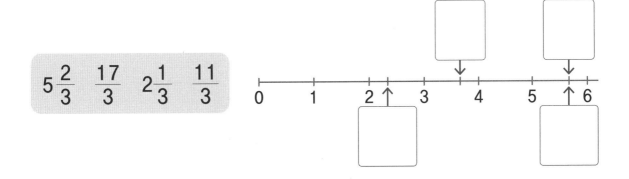

1 진분수는 ○표, 가분수는 △표, 대분수는 □표 하세요.

$$3\frac{1}{4} \qquad \frac{2}{5} \qquad \frac{8}{3} \qquad 1\frac{4}{7} \qquad \frac{3}{2} \qquad \frac{5}{6}$$

$$\frac{2}{3} \qquad 2\frac{2}{9} \qquad \frac{13}{5} \qquad \frac{3}{4} \qquad 1\frac{1}{6} \qquad \frac{5}{4}$$

2 수 카드를 한 번씩 사용하여 대분수 3개를 만드세요.

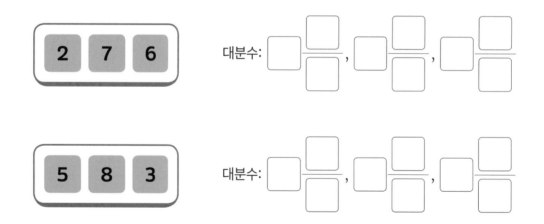

3 자연수가 3이고 분모가 4인 대분수를 모두 쓰세요.

4 다음 중 잘못 설명한 사람은 누구일까요?

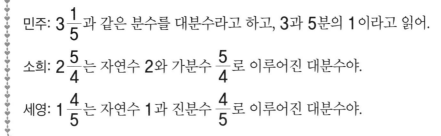

민주: $3\frac{1}{5}$ 과 같은 분수를 대분수라고 하고, 3과 5분의 1이라고 읽어.

소희: $2\frac{5}{4}$ 는 자연수 2와 가분수 $\frac{5}{4}$ 로 이루어진 대분수야.

세영: $1\frac{4}{5}$ 는 자연수 1과 진분수 $\frac{4}{5}$ 로 이루어진 대분수야.

5 다음은 패턴블록의 크기를 비교한 것입니다.

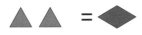 

 을 1이라고 할 때, 다음 모양을 대분수로 나타내세요.

 을 1이라고 할 때, 다음 모양을 대분수로 나타내세요.

대분수를 가분수로 고치기

대분수를 가분수로 고쳐봅시다.

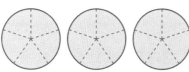

$3\dfrac{4}{5} = \boxed{\dfrac{19}{5}}$

$\dfrac{1}{5}$ 이 $\boxed{15}$ 개 $\dfrac{1}{5}$ 이 $\boxed{4}$ 개

3 은 $\dfrac{1}{5}$ 이 15 개이고, $\dfrac{4}{5}$ 는 $\dfrac{1}{5}$ 이 4 개입니다.

$3\dfrac{4}{5}$ 는 $\dfrac{1}{5}$ 이 19 개이므로 가분수로 나타내면 $\dfrac{19}{5}$ 입니다.

$\dfrac{1}{8}$ 이 $\boxed{}$ 개 $\dfrac{1}{8}$ 이 $\boxed{}$ 개

$1\dfrac{7}{8} = \boxed{}$

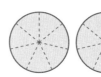

$\dfrac{1}{7}$ 이 $\boxed{}$ 개 $\dfrac{1}{7}$ 이 $\boxed{}$ 개

$2\dfrac{5}{7} = \boxed{}$

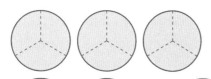 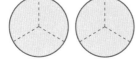

$\dfrac{1}{3}$ 이 $\boxed{}$ 개 $\dfrac{1}{3}$ 이 $\boxed{}$ 개

$5\dfrac{2}{3} = \boxed{}$

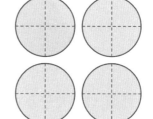

$\dfrac{1}{4}$ 이 $\boxed{}$ 개 $\dfrac{1}{4}$ 이 $\boxed{}$ 개

$4\dfrac{3}{4} = \boxed{}$

1은 $\dfrac{1}{7}$이 ☐ 개

$\dfrac{3}{7}$은 $\dfrac{1}{7}$이 ☐ 개

$1\dfrac{3}{7}$은 $\dfrac{1}{7}$이 ☐ 개

$1\dfrac{3}{7} = \dfrac{☐}{☐}$

1은 $\dfrac{1}{5}$이 ☐ 개

$\dfrac{4}{5}$는 $\dfrac{1}{5}$이 ☐ 개

$1\dfrac{4}{5}$는 $\dfrac{1}{5}$이 ☐ 개

$1\dfrac{4}{5} = \dfrac{☐}{☐}$

2는 $\dfrac{1}{8}$이 ☐ 개

$\dfrac{3}{8}$은 $\dfrac{1}{8}$이 ☐ 개

$2\dfrac{3}{8}$은 $\dfrac{1}{8}$이 ☐ 개

$2\dfrac{3}{8} = \dfrac{☐}{☐}$

3은 $\dfrac{1}{6}$이 ☐ 개

$\dfrac{2}{6}$는 $\dfrac{1}{6}$이 ☐ 개

$3\dfrac{2}{6}$는 $\dfrac{1}{6}$이 ☐ 개

$3\dfrac{2}{6} = \dfrac{☐}{☐}$

$2\dfrac{5}{6} = \dfrac{☐}{☐}$

$3\dfrac{3}{4} = \dfrac{☐}{☐}$

4는 $\dfrac{1}{4}$이 ☐ 개

$\dfrac{1}{4}$은 $\dfrac{1}{4}$이 ☐ 개

$4\dfrac{1}{4}$은 $\dfrac{1}{4}$이 ☐ 개

$4\dfrac{1}{4} = \dfrac{☐}{☐}$

$4\dfrac{3}{5} = \dfrac{☐}{☐}$

$2\dfrac{5}{8} = \dfrac{☐}{☐}$

2는 $\dfrac{1}{3}$이 ☐ 개

$\dfrac{2}{3}$는 $\dfrac{1}{3}$이 ☐ 개

$2\dfrac{2}{3}$는 $\dfrac{1}{3}$이 ☐ 개

$2\dfrac{2}{3} = \dfrac{☐}{☐}$

$1\dfrac{1}{9} = \dfrac{☐}{☐}$

$4\dfrac{2}{3} = \dfrac{☐}{☐}$

1 같은 것끼리 선으로 이으세요.

$2\dfrac{2}{5}$ $\dfrac{16}{6}$ $2\dfrac{3}{4}$ $\dfrac{11}{4}$

$3\dfrac{1}{5}$ $\dfrac{16}{5}$ $4\dfrac{2}{3}$ $\dfrac{13}{4}$

$2\dfrac{4}{6}$ $\dfrac{12}{5}$ $3\dfrac{1}{4}$ $\dfrac{14}{3}$

2 수 카드를 한 번씩 사용하여 대분수를 3개 만들고 가분수로 나타내세요.

$\Box\dfrac{\Box}{\Box}=\dfrac{\Box}{\Box}$ $\Box\dfrac{\Box}{\Box}=\dfrac{\Box}{\Box}$ $\Box\dfrac{\Box}{\Box}=\dfrac{\Box}{\Box}$

| 3 | 4 | 6 |

$\Box\dfrac{\Box}{\Box}=\dfrac{\Box}{\Box}$ $\Box\dfrac{\Box}{\Box}=\dfrac{\Box}{\Box}$ $\Box\dfrac{\Box}{\Box}=\dfrac{\Box}{\Box}$

3 다음 그림을 보고 대분수와 가분수로 나타내세요.

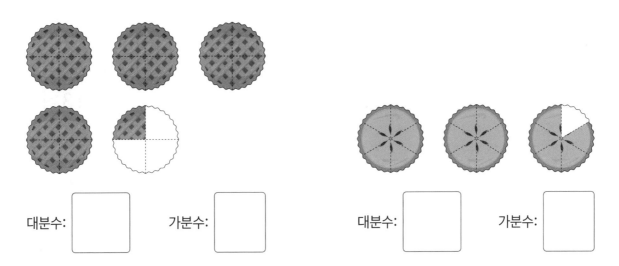

대분수: [ ]　　가분수: [ ]　　　　　대분수: [ ]　　가분수: [ ]

4 정호는 색종이 5장과 1장의 $\dfrac{1}{4}$ 을 사용하여 고리 팔지를 만들었습니다. 정호가 사용한 색종이의 양을 가분수로 나타내세요.

[ ]

5 먹고 남은 피자를 대분수로 나타내면 $2\dfrac{1}{6}$ 입니다. 똑같이 6조각으로 나누어진 피자는 몇 조각 남았을까요?

[ ] 조각

가분수를 대분수로 고치기

개념
원리

가분수만큼 색칠하고 대분수로 고쳐 봅시다.

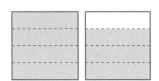

$$\frac{7}{4} = 1 \frac{3}{4}$$

$\frac{7}{4}$은 $\frac{1}{4}$이 7개입니다.

$\frac{1}{4}$을 7개 색칠하면 1과 $\frac{3}{4}$입니다.

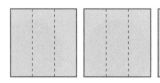

$$\frac{8}{3} = 2 \frac{2}{3}$$

$\frac{8}{3}$은 $\frac{1}{3}$이 8개입니다.

$\frac{1}{3}$을 8개 색칠하면 2와 $\frac{2}{3}$입니다.

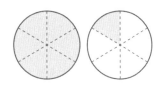

$$\frac{7}{6} = \boxed{} \frac{\boxed{}}{\boxed{}}$$

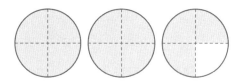

$$\frac{11}{4} = \boxed{} \frac{\boxed{}}{\boxed{}}$$

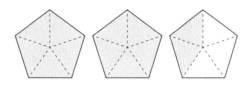

$$\frac{12}{5} = \boxed{} \frac{\boxed{}}{\boxed{}}$$

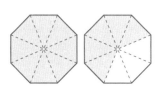

$$\frac{13}{8} = \boxed{} \frac{\boxed{}}{\boxed{}}$$

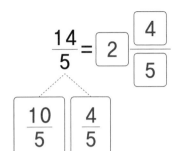

$$\frac{14}{5} = \boxed{2}\,\frac{\boxed{4}}{\boxed{5}}$$

$$\frac{10}{5} \quad \frac{4}{5}$$

$$\frac{8}{3} = \boxed{}\,\frac{\boxed{}}{\boxed{}}$$

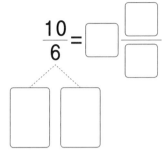

$$\frac{10}{6} = \boxed{}\,\frac{\boxed{}}{\boxed{}}$$

$$\frac{23}{4} = \boxed{}\,\frac{\boxed{}}{\boxed{}}$$

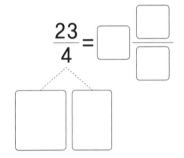

$$\frac{18}{7} = \boxed{}\,\frac{\boxed{}}{\boxed{}}$$

$$\frac{7}{2} = \boxed{}\,\frac{\boxed{}}{\boxed{}}$$

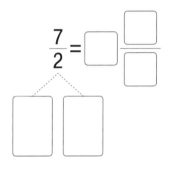

$$\frac{17}{8} = \boxed{}\,\frac{\boxed{}}{\boxed{}}$$

$$\frac{31}{9} = \boxed{}\,\frac{\boxed{}}{\boxed{}}$$

$$\frac{11}{4} = \boxed{}\,\frac{\boxed{}}{\boxed{}}$$

$$\frac{9}{4} = \boxed{}\,\frac{\boxed{}}{\boxed{}}$$

$$\frac{7}{5} = \boxed{}\,\frac{\boxed{}}{\boxed{}}$$

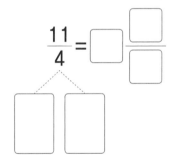

$$\frac{9}{2} = \boxed{}\,\frac{\boxed{}}{\boxed{}}$$

$$\frac{25}{6} = \boxed{}\,\frac{\boxed{}}{\boxed{}}$$

$$\frac{17}{7} = \boxed{}\,\frac{\boxed{}}{\boxed{}}$$

$$\frac{14}{3} = \boxed{}\,\frac{\boxed{}}{\boxed{}}$$

1 같은 것끼리 선으로 이으세요.

$\dfrac{17}{8}$

$\dfrac{17}{7}$

$\dfrac{24}{7}$

$3\dfrac{3}{7}$

$2\dfrac{3}{7}$

$2\dfrac{1}{8}$

$\dfrac{16}{6}$

$\dfrac{16}{5}$

$\dfrac{12}{5}$

$2\dfrac{2}{5}$

$3\dfrac{1}{5}$

$2\dfrac{4}{6}$

2 수 카드 3장 중에서 2장을 사용하여 만들 수 있는 가분수를 모두 쓰고, 대분수로 나타내세요.

$\dfrac{\square}{\square} = \square\dfrac{\square}{\square}$

$\dfrac{\square}{\square} = \square\dfrac{\square}{\square}$

$\dfrac{\square}{\square} = \square\dfrac{\square}{\square}$

2 7 9

$\dfrac{\square}{\square} = \square\dfrac{\square}{\square}$

$\dfrac{\square}{\square} = \square\dfrac{\square}{\square}$

$\dfrac{\square}{\square} = \square\dfrac{\square}{\square}$

3　소정이네 모둠 학생들 중 가분수 $\dfrac{13}{4}$ 을 대분수로 바르게 고친 사람은 누구일까요?

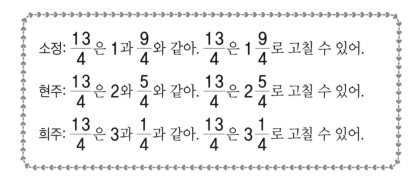

소정: $\dfrac{13}{4}$ 은 1과 $\dfrac{9}{4}$ 와 같아. $\dfrac{13}{4}$ 은 $1\dfrac{9}{4}$ 로 고칠 수 있어.

현주: $\dfrac{13}{4}$ 은 2와 $\dfrac{5}{4}$ 와 같아. $\dfrac{13}{4}$ 은 $2\dfrac{5}{4}$ 로 고칠 수 있어.

희주: $\dfrac{13}{4}$ 은 3과 $\dfrac{1}{4}$ 과 같아. $\dfrac{13}{4}$ 은 $3\dfrac{1}{4}$ 로 고칠 수 있어.

4　주스를 만드는 데 토마토 $\dfrac{7}{5}$ 개, 오렌지 $4\dfrac{5}{6}$ 개, 물 $\dfrac{4}{5}$ 컵이 필요하다고 합니다. 가분수를 찾아 대분수로 나타내세요.

5　연우네 모둠은 6조각으로 나누어진 똑같은 크기의 피자 3개 중에서 11조각을 먹었습니다.

연우네 모둠이 먹은 피자의 양을 가분수와 대분수로 나타내세요.

$$\dfrac{\boxed{}}{6} = \boxed{}\dfrac{\boxed{}}{\boxed{}}\ 개$$

남은 피자의 양을 가분수와 대분수로 나타내세요.

$$\dfrac{\boxed{}}{6} = \boxed{}\dfrac{\boxed{}}{\boxed{}}\ 개$$

1 ↑가 가리키는 분수를 쓰고 진분수이면 진, 가분수이면 가를 쓰세요.

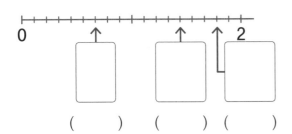

( ) ( ) ( )

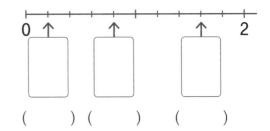

( ) ( ) ( )

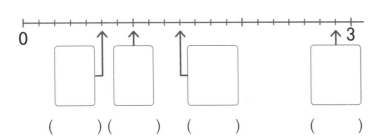

( ) ( ) ( ) ( )

2 수 카드 3장 중에서 2장을 사용하여 진분수와 가분수를 각각 3개씩 만드세요.

진분수: ☐ , ☐ , ☐

가분수: ☐ , ☐ , ☐

진분수: ☐ , ☐ , ☐

가분수: ☐ , ☐ , ☐

3　진분수는 ◯표, 가분수는 △표, 대분수는 ☐표 하세요.

$$\frac{7}{2} \qquad 4\frac{3}{6} \qquad \frac{2}{5} \qquad \frac{9}{4} \qquad 2\frac{5}{8} \qquad \frac{1}{7}$$

$$\frac{5}{9} \qquad \frac{8}{3} \qquad 1\frac{5}{11} \qquad 3\frac{4}{7} \qquad \frac{13}{2} \qquad \frac{3}{8}$$

4　자연수가 7이고 분모가 5인 대분수를 모두 쓰세요.

5　☐ 안에 알맞은 수를 쓰세요.

2는 $\frac{1}{7}$이 ☐ 개

$\frac{5}{7}$는 $\frac{1}{7}$이 ☐ 개

$2\frac{5}{7}$는 $\frac{1}{7}$이 ☐ 개

$2\frac{5}{7} = \dfrac{\boxed{}}{\boxed{}}$

3은 $\frac{1}{8}$이 ☐ 개

$\frac{3}{8}$은 $\frac{1}{8}$이 ☐ 개

$3\frac{3}{8}$은 $\frac{1}{8}$이 ☐ 개

$3\frac{3}{8} = \dfrac{\boxed{}}{\boxed{}}$

4는 $\frac{1}{6}$이 ☐ 개

$\frac{5}{6}$는 $\frac{1}{6}$이 ☐ 개

$4\frac{5}{6}$는 $\frac{1}{6}$이 ☐ 개

$4\frac{5}{6} = \dfrac{\boxed{}}{\boxed{}}$

6　민서네 가족은 호떡 6개와 $\frac{1}{3}$ 을 먹었습니다. 민서네가 먹은 호떡의 양을 가분수로 나타내세요.

 개

7　□ 안에 알맞은 수를 쓰세요.

$$\frac{7}{2} = \boxed{} \frac{\boxed{}}{\boxed{}}$$

$$\frac{20}{3} = \boxed{} \frac{\boxed{}}{\boxed{}}$$

$$\frac{19}{7} = \boxed{} \frac{\boxed{}}{\boxed{}}$$

$$\frac{23}{5} = \boxed{} \frac{\boxed{}}{\boxed{}}$$

$$\frac{31}{6} = \boxed{} \frac{\boxed{}}{\boxed{}}$$

$$\frac{29}{8} = \boxed{} \frac{\boxed{}}{\boxed{}}$$

8　가연이는 4조각으로 나누어진 똑같은 크기의 색종이 6장 중에서 17조각을 사용했습니다.

가연이가 사용한 색종이를 가분수와 대분수로 나타내세요.

$$\frac{\boxed{}}{4} = \boxed{} \frac{\boxed{}}{\boxed{}} \text{장}$$

남은 색종이를 가분수와 대분수로 나타내세요.

$$\frac{\boxed{}}{4} = \boxed{} \frac{\boxed{}}{\boxed{}} \text{장}$$

3주차

분수의 크기
비교 (2)

여러 가지 분수의 크기 비교

진분수, 가분수의 크기 비교

분수에 맞게 색칠하고 크기를 비교하여 봅시다.

$\dfrac{4}{5}$

$\dfrac{7}{5}$

$\dfrac{7}{4}$

$\dfrac{4}{5}$ ⟨<⟩ $\dfrac{7}{5}$

$\dfrac{7}{5}$ ⟨<⟩ $\dfrac{7}{4}$

분모가 같을 때 분자가 클수록 더 큰 분수입니다. 분자가 같을 때 분모가 작을수록 더 큰 분수입니다.

$\dfrac{11}{7}$

$\dfrac{6}{7}$

$\dfrac{6}{4}$

$\dfrac{11}{7}$ ◯ $\dfrac{6}{7}$

$\dfrac{6}{7}$ ◯ $\dfrac{6}{4}$

$\dfrac{9}{8}$

$\dfrac{9}{5}$

$\dfrac{7}{5}$

$\dfrac{9}{8}$ ◯ $\dfrac{9}{5}$

$\dfrac{9}{5}$ ◯ $\dfrac{7}{5}$

$\dfrac{9}{6}$

$\dfrac{7}{6}$

$\dfrac{7}{9}$

$\dfrac{9}{6}$ ◯ $\dfrac{7}{6}$

$\dfrac{7}{6}$ ◯ $\dfrac{7}{9}$

$\dfrac{5}{9}$ ◯ $\dfrac{10}{9}$

$\dfrac{5}{3}$ ◯ $\dfrac{5}{4}$

$\dfrac{11}{7}$ ◯ $\dfrac{9}{7}$

$\dfrac{8}{7}$ ◯ $\dfrac{8}{6}$

$\dfrac{6}{5}$ ◯ $\dfrac{11}{5}$

$\dfrac{11}{8}$ ◯ $\dfrac{11}{4}$

$\dfrac{13}{12}$ ◯ $\dfrac{12}{12}$

$\dfrac{8}{5}$ ◯ $\dfrac{8}{9}$

$\dfrac{7}{14}$ ◯ $\dfrac{9}{14}$

$\dfrac{5}{3}$ ◯ $\dfrac{5}{5}$ ◯ $\dfrac{5}{7}$

$\dfrac{5}{9}$ ◯ $\dfrac{7}{9}$ ◯ $\dfrac{14}{9}$

$\dfrac{11}{12}$ ◯ $\dfrac{11}{8}$ ◯ $\dfrac{13}{8}$

$\dfrac{17}{6}$ ◯ $\dfrac{13}{6}$ ◯ $\dfrac{13}{7}$

$\dfrac{5}{8}$ ◯ $\dfrac{9}{8}$ ◯ $\dfrac{9}{6}$

$\dfrac{10}{9}$ ◯ $\dfrac{10}{7}$ ◯ $\dfrac{11}{7}$

1 두 분수의 크기를 비교하여 더 큰 분수를 ☐ 안에 쓰세요.

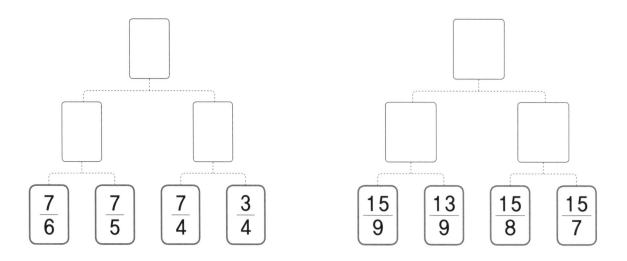

$\dfrac{7}{6}$ $\dfrac{7}{5}$ $\dfrac{7}{4}$ $\dfrac{3}{4}$

$\dfrac{15}{9}$ $\dfrac{13}{9}$ $\dfrac{15}{8}$ $\dfrac{15}{7}$

2 ☐ 안에 들어갈 수 있는 수를 모두 찾아 ◯표 하세요.

$\dfrac{\square}{4} < \dfrac{7}{4}$

5 6 7 8 9

$\dfrac{11}{\square} > \dfrac{11}{8}$

6 7 8 9 10

$\dfrac{6}{5} < \dfrac{\square}{5}$

4 5 6 7 8

$\dfrac{7}{6} < \dfrac{\square}{6} < \dfrac{9}{6}$

6 7 8 9 10

$\dfrac{11}{8} < \dfrac{11}{\square} < \dfrac{11}{5}$

5 6 7 8 9

3 다음 분수를 큰 것부터 차례대로 쓰세요.

$$\frac{8}{5} \quad \frac{7}{6} \quad \frac{11}{5} \quad \frac{11}{4} \quad \frac{7}{5}$$

$$\frac{10}{7} \quad \frac{9}{8} \quad \frac{10}{8} \quad \frac{11}{6} \quad \frac{10}{6}$$

_____

_____

4 수 카드 5장 중에서 2장을 사용하여 다음 분수를 만드세요.

	가장 작은 진분수	가장 큰 진분수	가장 작은 가분수	가장 큰 가분수
3 7 8 5 6				

5 종이접기를 하는 데 색종이를 천우는 $\frac{9}{4}$장, 슬기는 $\frac{9}{6}$장, 지혜는 $\frac{11}{4}$장 사용하였습니다.

색종이를 가장 많이 사용한 사람은 누구일까요?

색종이를 가장 적게 사용한 사람은 누구일까요?

2일

대분수의 크기 비교

개념
원리

대분수의 크기를 비교하여 봅시다.

$2\frac{3}{7}$

$1\frac{5}{7}$

$1\frac{2}{7}$

$2\frac{3}{7} \bigcirc{>} 1\frac{5}{7} \bigcirc{>} 1\frac{2}{7}$

대분수의 크기를 비교할 때에는 자연수 부분을 먼저 비교합니다.

$2\frac{3}{7} > 1\frac{5}{7}$

자연수가 같을 때에는 진분수 부분의 크기를 비교합니다.

$1\frac{5}{7} > 1\frac{2}{7}$

$2\frac{2}{3}$

$3\frac{1}{3}$

$4\frac{1}{2}$

$2\frac{2}{3} \bigcirc 3\frac{1}{3} \bigcirc 4\frac{1}{2}$

$2\frac{1}{2}$

$2\frac{1}{3}$

$2\frac{1}{5}$

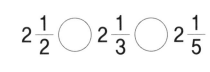

$2\frac{1}{2} \bigcirc 2\frac{1}{3} \bigcirc 2\frac{1}{5}$

$1\dfrac{2}{7}$ ◯ $3\dfrac{2}{7}$ $3\dfrac{1}{5}$ ◯ $2\dfrac{4}{5}$ $2\dfrac{2}{9}$ ◯ $1\dfrac{4}{7}$

$1\dfrac{1}{6}$ ◯ $1\dfrac{5}{6}$ $3\dfrac{3}{8}$ ◯ $3\dfrac{5}{8}$ $7\dfrac{4}{5}$ ◯ $7\dfrac{3}{5}$

$2\dfrac{5}{11}$ ◯ $2\dfrac{5}{8}$ $6\dfrac{3}{10}$ ◯ $6\dfrac{3}{11}$ $5\dfrac{4}{7}$ ◯ $5\dfrac{4}{5}$

$1\dfrac{1}{2}$ ◯ $1\dfrac{2}{3}$ $5\dfrac{4}{9}$ ◯ $5\dfrac{1}{2}$ $4\dfrac{5}{11}$ ◯ $4\dfrac{1}{2}$

$2\dfrac{3}{7}$ ◯ $3\dfrac{2}{9}$ ◯ $3\dfrac{4}{9}$ $5\dfrac{1}{6}$ ◯ $3\dfrac{3}{8}$ ◯ $3\dfrac{3}{9}$

$3\dfrac{1}{5}$ ◯ $3\dfrac{1}{6}$ ◯ $2\dfrac{1}{4}$ $4\dfrac{1}{5}$ ◯ $4\dfrac{2}{5}$ ◯ $4\dfrac{1}{2}$

1 수 카드를 한 번씩 사용하여 만들 수 있는 대분수를 모두 쓰고, 그중 가장 큰 분수에 ◯표, 가장 작은 분수에 △표 하세요.

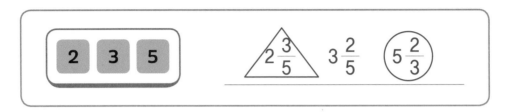

2 □ 안에 들어갈 수 있는 수를 모두 찾아 ◯표 하세요.

$3\dfrac{\square}{8} < 3\dfrac{7}{8}$

| 5 | 6 | 7 | 8 | 9 |

$5\dfrac{4}{\square} > 5\dfrac{4}{9}$

| 7 | 8 | 9 | 10 | 11 |

$4\dfrac{1}{6} < \square\dfrac{5}{6}$

| 1 | 2 | 3 | 4 | 5 |

$2\dfrac{2}{7} < \square\dfrac{4}{7} < 6\dfrac{4}{5}$

| 2 | 3 | 4 | 5 | 6 |

$5\dfrac{3}{7} < \square\dfrac{3}{11} < 9\dfrac{8}{11}$

| 5 | 6 | 7 | 8 | 9 |

3 다음 분수를 큰 것부터 차례대로 쓰세요.

$$3\frac{5}{8} \quad 2\frac{1}{8} \quad 3\frac{3}{8} \quad 2\frac{1}{9} \quad 3\frac{5}{7}$$

_____

4 수 카드 4장 중에서 3장을 사용하여 가장 큰 대분수와 가장 작은 대분수를 만드세요.

| 2 | 7 | 8 | 6 |

가장 큰 대분수: ▢ $\frac{▢}{▢}$ 가장 작은 대분수: ▢ $\frac{▢}{▢}$

| 3 | 5 | 9 | 1 |

가장 큰 대분수: ▢ $\frac{▢}{▢}$ 가장 작은 대분수: ▢ $\frac{▢}{▢}$

5 친구들이 키를 재어 보았더니 형수는 $1\frac{1}{8}$ m, 재호는 $1\frac{2}{8}$ m, 주희는 $1\frac{1}{9}$ m였습니다. 키가 가장 큰 사람과 키가 가장 작은 사람은 누구일까요?

가장 큰 사람: ▢ , 가장 작은 사람: ▢

대분수와 가분수의 크기 비교

 개념
원리

대분수와 가분수의 크기를 비교하여 봅시다.

$$\frac{11}{5} \; < \; 2\frac{3}{5} = \frac{\boxed{13}}{\boxed{5}}$$

대분수를 가분수로 고친 다음 크기를 비교합니다.

$$6\frac{2}{3} \; > \; \frac{19}{3} = \boxed{6}\frac{\boxed{1}}{\boxed{3}}$$

가분수를 대분수로 고친 다음 크기를 비교합니다.

$$\frac{10}{4} \; \bigcirc \; 2\frac{3}{4} = \frac{\boxed{}}{\boxed{}}$$

$$5\frac{1}{2} \; \bigcirc \; \frac{9}{2} = \boxed{}\frac{\boxed{}}{\boxed{}}$$

$$\frac{20}{9} \; \bigcirc \; 2\frac{5}{9} = \frac{\boxed{}}{\boxed{}}$$

$$3\frac{1}{4} \; \bigcirc \; \frac{15}{4} = \boxed{}\frac{\boxed{}}{\boxed{}}$$

$$\frac{17}{6} \; \bigcirc \; 2\frac{3}{6} = \frac{\boxed{}}{\boxed{}}$$

$$2\frac{5}{7} \; \bigcirc \; \frac{18}{7} = \boxed{}\frac{\boxed{}}{\boxed{}}$$

$$\frac{14}{3} \; \bigcirc \; 4\frac{1}{3} = \frac{\boxed{}}{\boxed{}}$$

$$4\frac{3}{8} \; \bigcirc \; \frac{37}{8} = \boxed{}\frac{\boxed{}}{\boxed{}}$$

$\dfrac{11}{6}$ ◯ $1\dfrac{5}{6}$ ◯ $\dfrac{13}{6}$ $\dfrac{15}{4}$ ◯ $3\dfrac{1}{4}$ ◯ $\dfrac{10}{4}$

$3\dfrac{2}{7}$ ◯ $\dfrac{22}{7}$ ◯ $2\dfrac{6}{7}$ $6\dfrac{1}{3}$ ◯ $\dfrac{17}{3}$ ◯ $5\dfrac{1}{3}$

$\dfrac{15}{8}$ ◯ $1\dfrac{5}{8}$ ◯ $\dfrac{11}{8}$ $\dfrac{21}{9}$ ◯ $2\dfrac{3}{9}$ ◯ $\dfrac{19}{8}$

$\dfrac{21}{5}$ ◯ $4\dfrac{1}{6}$ ◯ $\dfrac{29}{7}$ $\dfrac{22}{7}$ ◯ $3\dfrac{1}{7}$ ◯ $\dfrac{19}{6}$

$4\dfrac{1}{5}$ ◯ $\dfrac{18}{5}$ ◯ $3\dfrac{2}{5}$ $2\dfrac{1}{9}$ ◯ $\dfrac{19}{8}$ ◯ $2\dfrac{5}{7}$

$\dfrac{11}{2}$ ◯ $6\dfrac{1}{2}$ ◯ $\dfrac{15}{2}$ $\dfrac{13}{4}$ ◯ $3\dfrac{3}{4}$ ◯ $\dfrac{19}{5}$

1 □ 안의 분수를 수직선에 ↓로 나타내고 작은 순서대로 분수를 쓰세요.

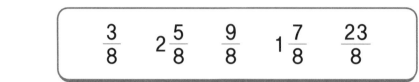

$\dfrac{3}{8}$

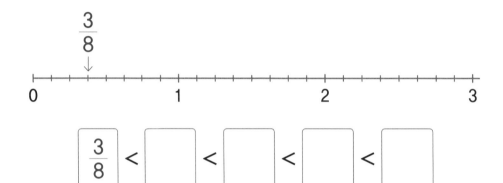

$\boxed{\dfrac{3}{8}}$ < □ < □ < □ < □

2 □ 안에 들어갈 수 있는 수를 모두 쓰세요.

$$1\dfrac{1}{9} < 1\dfrac{\square}{9} < 1\dfrac{8}{9}$$

_____

$$\dfrac{4}{3} < \square\dfrac{2}{3} < \dfrac{19}{3}$$

_____

$$1\dfrac{2}{7} < \dfrac{\square}{7} < 2\dfrac{1}{7}$$

_____

3 분수의 크기에 대해 잘못 설명한 사람은 누구일까요?

가분수는 진분수보다 항상 커.

슬기

대분수는 진분수보다 항상 커.

승희

대분수는 가분수보다 항상 커.

정호

4 수 카드 5장 중에서 2장을 사용하여 가장 큰 가분수를 만들고 나머지 3장으로 가장 작은 대분수를 만든 다음 두 분수의 크기를 비교하세요.

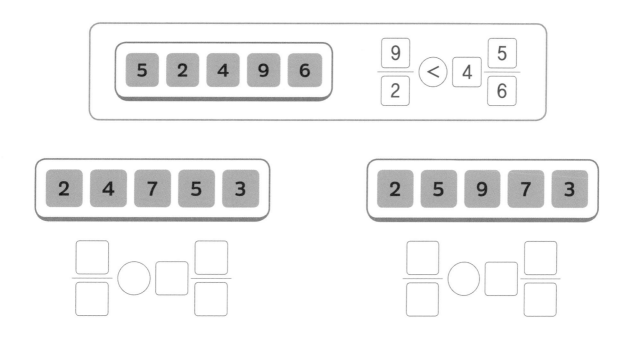

5 4 2 9 6

$$\frac{9}{2} < 4\frac{5}{6}$$

2 4 7 5 3

2 5 9 7 3

5 지영이는 동화책을 $1\frac{1}{6}$ 시간, 희영이는 $\frac{6}{5}$ 시간, 소희는 $1\frac{1}{8}$ 시간 읽었습니다. 동화책을 읽은 시간이 가장 짧은 사람은 누구일까요?

조건과 분수

개념
원리

수 카드를 사용하여 조건에 맞는 분수를 만들어 봅시다.

분모가 3인 가분수

| 2 | 3 | 7 | 8 |

$$\frac{7}{3}, \frac{8}{3}$$

자연수 부분이 3인 대분수

| 2 | 8 | 3 | 5 |

$$3\frac{2}{5}, 3\frac{2}{8}, 3\frac{5}{8}$$

분자가 7인 가분수

| 7 | 8 | 6 | 3 |

분모가 5인 대분수

| 5 | 3 | 7 | 4 |

분모가 6인 진분수

| 6 | 9 | 3 | 5 |

분자가 1인 대분수

| 1 | 4 | 3 | 5 |

분모와 분자의 합이 7인 가분수

| 2 | 4 | 5 | 3 |

자연수 부분이 4인 대분수

| 4 | 9 | 8 | 5 |

| 분모와 분자의 합이 **9**입니다. 진분수입니다. | $\dfrac{2}{6}$ | $\dfrac{2}{7}$ | $\dfrac{3}{6}$ | $\dfrac{4}{5}$ | $\dfrac{5}{4}$ | $\dfrac{6}{3}$ | $\dfrac{7}{2}$ |

| 분모와 분자의 차가 **3**입니다. 가분수입니다. | $\dfrac{1}{4}$ | $\dfrac{2}{5}$ | $\dfrac{3}{6}$ | $\dfrac{4}{7}$ | $\dfrac{5}{2}$ | $\dfrac{6}{3}$ | $\dfrac{7}{4}$ |

| 대분수입니다. 자연수 부분이 **3**입니다. | $3\dfrac{2}{8}$ | $\dfrac{10}{3}$ | $2\dfrac{3}{4}$ | $3\dfrac{1}{9}$ | $1\dfrac{3}{7}$ | $\dfrac{3}{5}$ | $3\dfrac{5}{9}$ |

| **2**보다 크고 **3**보다 작습니다. 가분수입니다. | $\dfrac{5}{2}$ | $\dfrac{10}{3}$ | $2\dfrac{5}{6}$ | $\dfrac{4}{9}$ | $2\dfrac{2}{3}$ | $\dfrac{9}{4}$ | $\dfrac{19}{8}$ |

| 분자가 **7**입니다. 가분수입니다. | $\dfrac{4}{7}$ | $\dfrac{7}{5}$ | $\dfrac{7}{6}$ | $\dfrac{7}{7}$ | $\dfrac{7}{8}$ | $\dfrac{7}{9}$ | $\dfrac{7}{10}$ |

| 대분수입니다. **5**보다 크고 **6**보다 작습니다. | $5\dfrac{4}{8}$ | $\dfrac{11}{2}$ | $5\dfrac{9}{13}$ | $4\dfrac{5}{6}$ | $5\dfrac{4}{4}$ | $\dfrac{27}{5}$ | $5\dfrac{5}{11}$ |

1 주어진 분수를 가로, 세로 조건에 맞게 하나씩 쓰세요.

분수 조건	진분수	가분수
분모와 분자의 합이 10		
분모와 분자의 차가 5		

분수 조건	가분수	대분수
2보다 큼		
2보다 작음		

$$\frac{6}{4} \qquad \frac{3}{8} \qquad \frac{7}{2} \qquad \frac{3}{7}$$

$$2\frac{1}{3} \qquad \frac{4}{3} \qquad 1\frac{2}{3} \qquad \frac{8}{3}$$

2 조건에 맞는 분수를 구하세요.

- 가분수입니다.
- 분모와 분자의 합이 14입니다.
- 분모와 분자의 차가 4입니다.

- 진분수입니다.
- 분모는 8보다 작습니다.
- 분자는 5보다 큽니다.

- 대분수입니다.
- 3보다 크고 4보다 작습니다.
- 분모가 3보다 작습니다.

- 가분수입니다.
- 3보다 크고 4보다 작습니다.
- 분모와 분자의 차가 7입니다.

3 조건에 맞는 분수를 모두 쓰세요.

┌─────────────────────────┐
│ • 진분수입니다.   │
│ • 분모는 **9**입니다.   │
│ • $\frac{1}{2}$ 보다 큽니다. │
└─────────────────────────┘

┌─────────────────────────┐
│ • 가분수입니다.   │
│ • 분모와 분자의 합이 **10**입니다. │
│ • 분모는 **1**보다 큽니다.   │
└─────────────────────────┘

┌─────────────────────────┐
│ • 대분수입니다.   │
│ • **2**보다 크고 **4**보다 작습니다. │
│ • 분모와 분자의 합이 **4**입니다.   │
└─────────────────────────┘

┌─────────────────────────┐
│ • 대분수입니다.   │
│ • 자연수 부분이 **5**입니다.   │
│ • 분모가 **5**보다 작습니다.   │
└─────────────────────────┘

4 수 카드 **5**장으로 분수를 만들려고 합니다.

2장을 사용하여 분모와 분자의 차가 **2**인 가분수를 모두 만드세요.

3장을 사용하여 분모와 분자의 합이 **13**이고 **4**보다 작은 대분수를 모두 만드세요.

1 두 분수의 크기를 비교하여 더 큰 분수를 ☐ 안에 쓰세요.

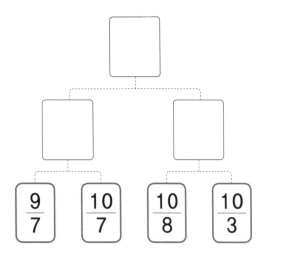

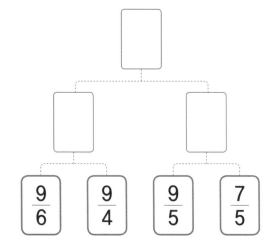

2 다음 분수를 큰 것부터 차례대로 적으세요.

$$\frac{13}{4} \quad \frac{9}{7} \quad \frac{9}{4} \quad \frac{8}{7} \quad \frac{13}{3}$$

$$\frac{15}{9} \quad \frac{20}{9} \quad \frac{22}{7} \quad \frac{20}{7} \quad \frac{15}{11}$$

_____

_____

3 분수의 크기를 비교하여 ◯ 안에 >, <를 쓰세요.

$6\frac{3}{5}$ ◯ $6\frac{1}{2}$ $3\frac{5}{8}$ ◯ $3\frac{5}{6}$ $5\frac{1}{2}$ ◯ $5\frac{7}{13}$

$4\frac{5}{7}$ ◯ $4\frac{5}{6}$ ◯ $5\frac{2}{6}$ $8\frac{2}{4}$ ◯ $8\frac{2}{5}$ ◯ $7\frac{4}{5}$

4 수 카드 **4**장 중에서 **3**장을 사용하여 가장 큰 대분수와 가장 작은 대분수를 각각 만드세요.

| 5 | 2 | 8 | 7 |

가장 큰 대분수: $\boxed{}\dfrac{\boxed{}}{\boxed{}}$ 가장 작은 대분수: $\boxed{}\dfrac{\boxed{}}{\boxed{}}$

| 4 | 7 | 3 | 6 |

가장 큰 대분수: $\boxed{}\dfrac{\boxed{}}{\boxed{}}$ 가장 작은 대분수: $\boxed{}\dfrac{\boxed{}}{\boxed{}}$

5 대분수와 가분수의 크기를 비교하여 보세요.

$\dfrac{23}{6}\bigcirc 3\dfrac{2}{7} = \dfrac{\boxed{}}{\boxed{}}$

$4\dfrac{3}{8}\bigcirc\dfrac{37}{8} = \boxed{}\dfrac{\boxed{}}{\boxed{}}$

$\dfrac{22}{4}\bigcirc 5\dfrac{3}{4} = \dfrac{\boxed{}}{\boxed{}}$

$2\dfrac{9}{11}\bigcirc\dfrac{30}{11} = \boxed{}\dfrac{\boxed{}}{\boxed{}}$

6 조건에 맞는 분수를 구하세요.

- 가분수입니다.
- **3**보다 크고 **4**보다 작습니다.
- 분모와 분자의 차가 **9**입니다.

$\boxed{}$

7 □ 안에 들어갈 수 있는 수를 모두 쓰세요.

$$2\frac{2}{7} < \frac{\square}{7} < 2\frac{6}{7}$$

_____

$$\frac{7}{4} < \square\frac{1}{4} < \frac{25}{4}$$

_____

$$3\frac{5}{9} < \frac{\square}{9} < 4\frac{2}{9}$$

_____

8 과자를 예은이는 $2\frac{3}{7}$ 봉지, 호진이는 $\frac{15}{6}$ 봉지, 규원이는 $2\frac{5}{6}$ 봉지 먹었습니다. 과자를 가장 많이 먹은 사람은 누구일까요?

4주차

분수의
덧셈과 뺄셈

분모가 같은 분수의 계산

분수의 덧셈

개념
원리

분모가 같은 분수의 덧셈을 알아봅시다.

$\dfrac{2}{8}$ $\qquad$ $\dfrac{5}{8}$ $\qquad$ $\dfrac{\boxed{7}}{8}$

$$\frac{2}{8} + \frac{5}{8} = \frac{\boxed{2} + \boxed{5}}{8} = \frac{\boxed{7}}{8}$$

$\dfrac{2}{8}$ 는 $\dfrac{1}{8}$ 이 2개, $\dfrac{5}{8}$ 는 $\dfrac{1}{8}$ 이 5개입니다. $\dfrac{2}{8} + \dfrac{5}{8}$ 는 $\dfrac{1}{8}$ 이 7개이므로 $\dfrac{7}{8}$ 입니다.

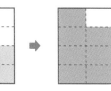

$\dfrac{2}{6}$ $\qquad$ $\dfrac{3}{6}$ $\qquad$ $\dfrac{\boxed{}}{6}$

$$\frac{2}{6} + \frac{3}{6} = \frac{\boxed{} + \boxed{}}{6} = \frac{\boxed{}}{6}$$

$\dfrac{5}{10}$ $\qquad$ $\dfrac{2}{10}$ $\qquad$ $\dfrac{\boxed{}}{10}$

$$\frac{5}{10} + \frac{2}{10} = \frac{\boxed{} + \boxed{}}{10} = \frac{\boxed{}}{10}$$

$\dfrac{3}{9}$ $\qquad$ $\dfrac{4}{9}$ $\qquad$ $\dfrac{\boxed{}}{9}$

$$\frac{3}{9} + \frac{4}{9} = \frac{\boxed{} + \boxed{}}{9} = \frac{\boxed{}}{9}$$

$$\frac{5}{7} + \frac{3}{7} = \frac{\boxed{} + \boxed{}}{7} = \frac{\boxed{}}{\boxed{}}$$

$$\frac{4}{7} + \frac{6}{7} = \frac{\boxed{} + \boxed{}}{7} = \frac{\boxed{}}{\boxed{}}$$

$$\frac{2}{5} + \frac{3}{5} = \frac{\boxed{} + \boxed{}}{5} = \frac{\boxed{}}{\boxed{}}$$

$$\frac{3}{9} + \frac{2}{9} = \frac{\boxed{} + \boxed{}}{9} = \frac{\boxed{}}{\boxed{}}$$

$$\frac{7}{8} + \frac{6}{8} = \frac{\boxed{} + \boxed{}}{8} = \frac{\boxed{}}{\boxed{}}$$

$$\frac{7}{6} + \frac{8}{6} = \frac{\boxed{} + \boxed{}}{6} = \frac{\boxed{}}{\boxed{}}$$

$$\frac{1}{5} + \frac{3}{5}$$

$$\frac{2}{3} + \frac{2}{3}$$

$$\frac{3}{4} + \frac{6}{4}$$

$$\frac{6}{7} + \frac{8}{7}$$

$$\frac{8}{5} + \frac{3}{5}$$

$$\frac{5}{6} + \frac{8}{6}$$

$$\frac{2}{10} + \frac{7}{10}$$

$$\frac{8}{12} + \frac{9}{12}$$

$$\frac{14}{15} + \frac{17}{15}$$

1 분수의 덧셈을 하여 빈칸에 알맞은 수를 쓰세요.

+	$\frac{1}{9}$	$\frac{4}{9}$
$\frac{3}{9}$		
$\frac{4}{9}$		

+	$\frac{2}{8}$	$\frac{9}{8}$
$\frac{3}{8}$		
$\frac{7}{8}$		

2 ↓가 가리키는 분수를 쓰고 두 분수의 합을 구하세요.

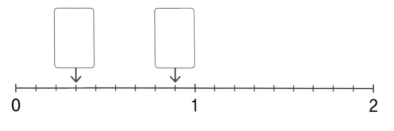

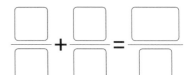

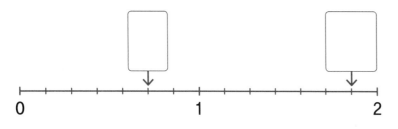

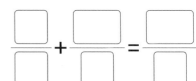

3 수 카드 3장 중에서 2장을 사용하여 가장 큰 진분수와 가장 작은 진분수를 만들고 두 분수의 합을 구하세요.

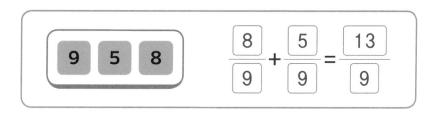

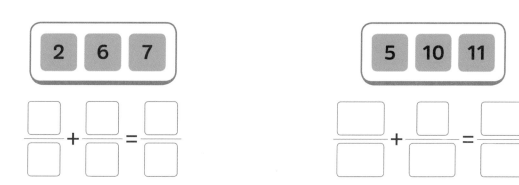

4 소영이는 매일 아침에 산책을 합니다. 어제는 $\dfrac{5}{6}$ 시간, 오늘은 $\dfrac{2}{6}$ 시간 동안 산책을 하였습니다. 소영이가 어제와 오늘 산책한 시간은 모두 몇 시간일까요?

식 _____   답 _____ 시간

5 정철이는 등산을 하였습니다. 전체 등반 코스의 $\dfrac{5}{12}$ 만큼 올라가 휴식을 취한 후 $\dfrac{6}{12}$ 만큼 더 올라갔습니다. 정철이는 전체 등반 코스의 얼마만큼 올라갔을까요?

식 _____   답 _____

분수의 뺄셈

개념
원리

분모가 같은 분수의 뺄셈을 알아봅시다.

$$\frac{9}{6} - \frac{4}{6} = \frac{\boxed{9} - \boxed{4}}{6} = \frac{\boxed{5}}{6}$$

$\frac{9}{6}$ 는 $\frac{1}{6}$ 이 9개, $\frac{4}{6}$ 는 $\frac{1}{6}$ 이 4개입니다. $\frac{9}{6} - \frac{4}{6}$ 는 $\frac{1}{6}$ 이 5개이므로 $\frac{5}{6}$ 입니다.

$$\frac{6}{7} - \frac{3}{7} = \frac{\boxed{} - \boxed{}}{7} = \frac{\boxed{}}{7}$$

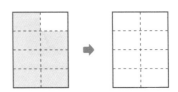

$$\frac{7}{8} - \frac{2}{8} = \frac{\boxed{} - \boxed{}}{8} = \frac{\boxed{}}{8}$$

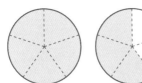

$$\frac{8}{5} - \frac{4}{5} = \frac{\boxed{} - \boxed{}}{5} = \frac{\boxed{}}{5}$$

$$\frac{15}{9} - \frac{7}{9} = \frac{\boxed{} - \boxed{}}{9} = \frac{\boxed{}}{\boxed{}}$$

$\dfrac{2}{3} - \dfrac{1}{3} = \dfrac{\boxed{} - \boxed{}}{3} = \dfrac{\boxed{}}{\boxed{}}$

$\dfrac{9}{8} - \dfrac{4}{8} = \dfrac{\boxed{} - \boxed{}}{8} = \dfrac{\boxed{}}{\boxed{}}$

$\dfrac{11}{7} - \dfrac{5}{7} = \dfrac{\boxed{} - \boxed{}}{7} = \dfrac{\boxed{}}{\boxed{}}$

$\dfrac{13}{6} - \dfrac{2}{6} = \dfrac{\boxed{} - \boxed{}}{6} = \dfrac{\boxed{}}{\boxed{}}$

$\dfrac{13}{11} - \dfrac{9}{11} = \dfrac{\boxed{} - \boxed{}}{11} = \dfrac{\boxed{}}{\boxed{}}$

$\dfrac{21}{15} - \dfrac{8}{15} = \dfrac{\boxed{} - \boxed{}}{15} = \dfrac{\boxed{}}{\boxed{}}$

$\dfrac{4}{5} - \dfrac{2}{5}$

$\dfrac{11}{8} - \dfrac{4}{8}$

$\dfrac{15}{2} - \dfrac{10}{2}$

$\dfrac{17}{9} - \dfrac{12}{9}$

$\dfrac{21}{10} - \dfrac{2}{10}$

$\dfrac{11}{7} - \dfrac{9}{7}$

$\dfrac{17}{6} - \dfrac{16}{6}$

$\dfrac{13}{3} - \dfrac{8}{3}$

$\dfrac{21}{4} - \dfrac{18}{4}$

1 분수의 뺄셈을 하여 빈칸에 알맞은 수를 쓰세요.

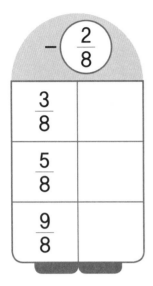

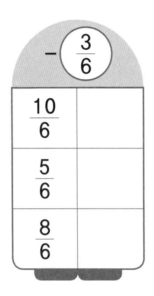

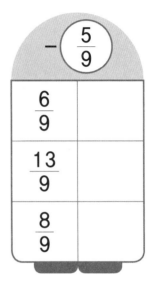

2 수직선의 빈칸에 알맞은 분수를 쓰고 분수의 뺄셈을 하세요.

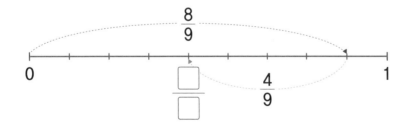

$$\frac{8}{9} - \frac{4}{9} = \frac{\boxed{}}{\boxed{}}$$

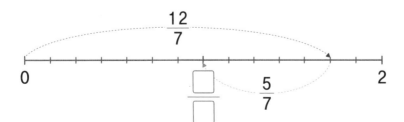

$$\frac{12}{7} - \frac{5}{7} = \frac{\boxed{}}{\boxed{}}$$

3 ☐ 안에 알맞은 수를 쓰세요.

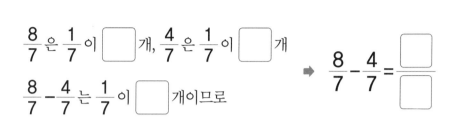

$\dfrac{8}{7}$ 은 $\dfrac{1}{7}$ 이 ☐ 개, $\dfrac{4}{7}$ 은 $\dfrac{1}{7}$ 이 ☐ 개

$\dfrac{8}{7} - \dfrac{4}{7}$ 는 $\dfrac{1}{7}$ 이 ☐ 개이므로

➡ $\dfrac{8}{7} - \dfrac{4}{7} = \dfrac{☐}{☐}$

4 수 카드 4장 중에서 2장을 사용하여 분모가 7인 가장 큰 가분수와 가장 작은 가분수를 만들고 두 분수의 차를 구하세요.

8 15 7 4

$\dfrac{☐}{☐} - \dfrac{☐}{☐} = \dfrac{☐}{☐}$

5 동화책을 수희는 $\dfrac{9}{6}$ 시간 동안 읽었고, 정호는 $\dfrac{4}{6}$ 시간 동안 읽었습니다. 수희는 정호보다 몇 시간 더 읽었을까요?

식  _____   답 _____ 시간

6 사과나무의 높이는 $\dfrac{15}{8}$ m이고, 감나무의 높이는 $\dfrac{25}{8}$ m입니다. 감나무는 사과나무보다 얼마나 더 높을까요?

식 _____   답 _____ m

분수의 덧셈과 뺄셈

개념
원리

두 분수의 덧셈과 뺄셈을 하고 그 결과를 대분수로 나타내어 봅시다.

$$\frac{5}{6} + \frac{2}{6} = \frac{\boxed{5} + \boxed{2}}{6} = \frac{\boxed{7}}{6}$$

$$= \boxed{1}\frac{\boxed{1}}{\boxed{6}}$$

$$\frac{15}{4} - \frac{8}{4} = \frac{\boxed{15} - \boxed{8}}{4} = \frac{\boxed{7}}{4}$$

$$= \boxed{1}\frac{\boxed{3}}{\boxed{4}}$$

$$\frac{8}{5} + \frac{6}{5} = \frac{\boxed{} + \boxed{}}{5} = \frac{\boxed{}}{5}$$

$$= \boxed{}\frac{\boxed{}}{\boxed{}}$$

$$\frac{15}{7} - \frac{2}{7} = \frac{\boxed{} - \boxed{}}{7} = \frac{\boxed{}}{7}$$

$$= \boxed{}\frac{\boxed{}}{\boxed{}}$$

$$\frac{3}{8} + \frac{10}{8} = \frac{\boxed{} + \boxed{}}{8} = \frac{\boxed{}}{8}$$

$$= \boxed{}\frac{\boxed{}}{\boxed{}}$$

$$\frac{17}{9} - \frac{1}{9} = \frac{\boxed{} - \boxed{}}{9} = \frac{\boxed{}}{9}$$

$$= \boxed{}\frac{\boxed{}}{\boxed{}}$$

$$\frac{11}{10} + \frac{13}{10} = \frac{\boxed{} + \boxed{}}{10} = \frac{\boxed{}}{10}$$

$$= \boxed{}\frac{\boxed{}}{\boxed{}}$$

$$\frac{31}{11} - \frac{19}{11} = \frac{\boxed{} - \boxed{}}{11} = \frac{\boxed{}}{11}$$

$$= \boxed{}\frac{\boxed{}}{\boxed{}}$$

$\dfrac{3}{4} + \dfrac{2}{4} = \dfrac{\boxed{}}{4} = \boxed{}\dfrac{\boxed{}}{\boxed{}}$

두 분수의 계산 결과를
대분수로 나타내세요.

$\dfrac{14}{10} + \dfrac{17}{10} = \dfrac{\boxed{}}{10} = \boxed{}\dfrac{\boxed{}}{\boxed{}}$

$\dfrac{21}{6} - \dfrac{2}{6} = \dfrac{\boxed{}}{6} = \boxed{}\dfrac{\boxed{}}{\boxed{}}$

$\dfrac{23}{9} + \dfrac{14}{9} = \dfrac{\boxed{}}{9} = \boxed{}\dfrac{\boxed{}}{\boxed{}}$

$\dfrac{32}{5} - \dfrac{13}{5} = \dfrac{\boxed{}}{5} = \boxed{}\dfrac{\boxed{}}{\boxed{}}$

$\dfrac{3}{7} + \dfrac{22}{7}$

$\dfrac{33}{8} - \dfrac{14}{8}$

$\dfrac{23}{11} + \dfrac{31}{11}$

$\dfrac{23}{6} - \dfrac{8}{6}$

$\dfrac{12}{11} + \dfrac{13}{11}$

$\dfrac{25}{4} - \dfrac{6}{4}$

$\dfrac{26}{5} + \dfrac{16}{5}$

$\dfrac{17}{9} - \dfrac{3}{9}$

$\dfrac{15}{7} + \dfrac{15}{7}$

1 빈칸에 알맞은 분수를 쓰세요.

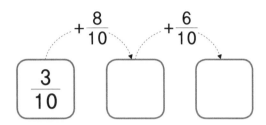

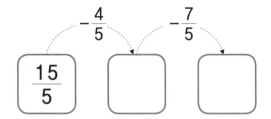

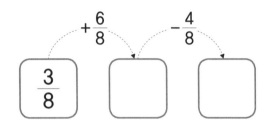

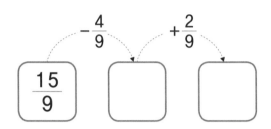

2 다음과 같이 두 분수의 합과 차를 구하세요. 단, 계산 결과가 가분수이면 대분수로 나타내세요.

$$\frac{7}{9} \qquad \frac{6}{9}$$

합: $\dfrac{7}{9} + \dfrac{6}{9} = \dfrac{13}{9} = 1\dfrac{4}{9}$

차: $\dfrac{7}{9} - \dfrac{6}{9} = \dfrac{1}{9}$

$$\frac{6}{5} \qquad \frac{3}{5}$$

합:

_____

차:

_____

$$\frac{5}{7} \qquad \frac{15}{7}$$

합:

_____

차:

_____

3 두 분수를 각각 구하세요.

> • 두 분수는 모두 분모가 **11**입니다.
> • 분자의 합은 **11**이고, 분자의 차는 **3**입니다.

> • 두 분수의 차는 $\dfrac{5}{9}$이고,
>
>   합은 $\dfrac{11}{9}$입니다.

☐ ☐

☐ ☐

4 수 카드 **3**장 중에서 **2**장을 사용하여 만들 수 있는 가장 큰 진분수와 가장 작은 진분수의 합과 차를 구하세요. 단, 계산 결과가 가분수이면 대분수로 나타내세요.

| **3** | **9** | **8** |

두 분수의 합: ☐

두 분수의 차: ☐

5 길이가 각각 $\dfrac{15}{7}$ m와 $\dfrac{2}{7}$ m인 색 테이프 **2**장이 있습니다.

두 색 테이프의 길이의 합을 대분수로 나타내세요.

식 _____ 답 _____ m

두 색 테이프의 길이의 차를 대분수로 나타내세요.

식 _____ 답 _____ m

□가 있는 분수의 덧셈과 뺄셈

개념
원리

□가 있는 분수의 덧셈과 뺄셈을 알아봅시다.

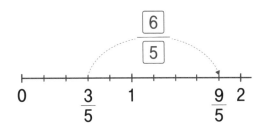

$$\frac{3}{5} + \boxed{\frac{6}{5}} = \frac{9}{5}$$

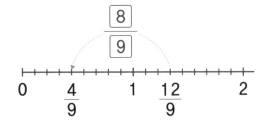

$$\frac{12}{9} - \boxed{\frac{8}{9}} = \frac{4}{9}$$

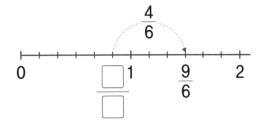

$$\frac{\boxed{}}{\boxed{}} + \frac{4}{6} = \frac{9}{6}$$

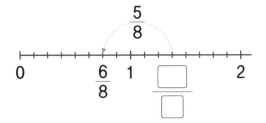

$$\frac{\boxed{}}{\boxed{}} - \frac{5}{8} = \frac{6}{8}$$

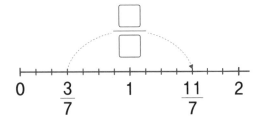

$$\frac{3}{7} + \frac{\boxed{}}{\boxed{}} = \frac{11}{7}$$

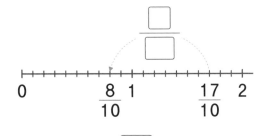

$$\frac{17}{10} - \frac{\boxed{}}{\boxed{}} = \frac{8}{10}$$

$\dfrac{3}{6} + \dfrac{\boxed{}}{6} = \dfrac{11}{6}$

$\dfrac{\boxed{}}{3} + \dfrac{5}{3} = \dfrac{8}{3}$

$\dfrac{9}{7} + \dfrac{\boxed{}}{7} = \dfrac{16}{7}$

$\dfrac{\boxed{}}{5} - \dfrac{6}{5} = \dfrac{8}{5}$

$\dfrac{21}{4} - \dfrac{\boxed{}}{4} = \dfrac{3}{4}$

$\dfrac{\boxed{}}{9} - \dfrac{15}{9} = \dfrac{26}{9}$

$\dfrac{\boxed{}}{\boxed{}} + \dfrac{5}{8} = \dfrac{13}{8}$

$\dfrac{6}{5} + \dfrac{\boxed{}}{\boxed{}} = \dfrac{12}{5}$

$\dfrac{\boxed{}}{\boxed{}} + \dfrac{3}{10} = \dfrac{12}{10}$

$\dfrac{9}{11} - \dfrac{\boxed{}}{\boxed{}} = \dfrac{2}{11}$

$\dfrac{\boxed{}}{\boxed{}} - \dfrac{5}{7} = \dfrac{6}{7}$

$\dfrac{23}{12} - \dfrac{\boxed{}}{\boxed{}} = \dfrac{18}{12}$

$\dfrac{7}{3} + \dfrac{\boxed{}}{\boxed{}} = \dfrac{14}{3}$

$\dfrac{\boxed{}}{\boxed{}} + \dfrac{6}{5} = \dfrac{17}{5}$

$\dfrac{10}{8} + \dfrac{\boxed{}}{\boxed{}} = \dfrac{17}{8}$

$\dfrac{\boxed{}}{\boxed{}} - \dfrac{3}{9} = \dfrac{20}{9}$

$\dfrac{23}{13} - \dfrac{\boxed{}}{\boxed{}} = \dfrac{11}{13}$

$\dfrac{\boxed{}}{\boxed{}} - \dfrac{10}{7} = \dfrac{21}{7}$

1 분수의 덧셈과 뺄셈을 하여 빈칸에 알맞은 수를 쓰세요. (단, 뺄셈은 왼쪽 수에서 위쪽 수를 뺍니다.)

+	$\frac{2}{9}$	
	$\frac{7}{9}$	
$\frac{8}{9}$		$\frac{11}{9}$

−		$\frac{5}{7}$
$\frac{6}{7}$	$\frac{4}{7}$	
		$\frac{11}{7}$

−	$\frac{3}{8}$	
$\frac{6}{8}$		$\frac{2}{8}$
	$\frac{8}{8}$	

+		$\frac{4}{6}$
		$\frac{11}{6}$
$\frac{5}{6}$	$\frac{13}{6}$	

2 □ 안에 들어갈 수 있는 수를 모두 찾아 ○표 하세요.

$$\frac{\square}{8} + \frac{5}{8} < \frac{12}{8}$$

| 5 | 6 | 7 | 8 | 9 |

$$\frac{9}{11} + \frac{\square}{11} > \frac{21}{11}$$

| 10 | 11 | 12 | 13 | 14 |

$$\frac{15}{7} - \frac{\square}{7} < \frac{7}{7}$$

| 6 | 7 | 8 | 9 | 10 |

$$\frac{17}{12} - \frac{\square}{12} > \frac{8}{12}$$

| 7 | 8 | 9 | 10 | 11 |

3 다음 덧셈의 계산 결과가 진분수일 때 ▢ 안에 들어갈 수 있는 수를 모두 쓰세요.

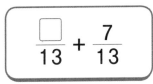

_____

4 $\frac{7}{11}$ 에 어떤 수를 더했더니 $\frac{12}{11}$ 가 되었습니다. 어떤 수를 ▢라고 하여 식을 세우고 어떤 수를 구하세요.

식 _____   답 _____

5 어떤 수에 $\frac{2}{11}$ 를 더해야 할 것을 잘못하여 뺐더니 $\frac{10}{11}$ 이 되었습니다. 바르게 계산하면 얼마일까요?

잘못된 식: 식 _____   어떤 수: _____

바르게 계산하기: 식 _____   답 _____

6 대현이가 컵의 $\frac{4}{5}$ 만큼 남아 있는 우유에서 얼마를 마셨더니 $\frac{1}{5}$ 만큼 남았습니다. 대현이가 마신 우유는 컵의 몇 분의 몇일까요?

식 _____   답 _____

1 분수의 덧셈을 하세요.

$$\frac{5}{8}+\frac{7}{8} \qquad\qquad \frac{8}{9}+\frac{11}{9} \qquad\qquad \frac{10}{7}+\frac{1}{7}$$

$$\frac{7}{17}+\frac{9}{17} \qquad\qquad \frac{11}{14}+\frac{5}{14} \qquad\qquad \frac{18}{16}+\frac{13}{16}$$

2 윤수는 책의 $\frac{7}{9}$ 을, 서희는 같은 책의 $\frac{8}{9}$ 을 읽었습니다. 윤수와 서희가 읽은 책의 양은 모두 얼마일까요?

식 _____   답 _____

3 분수를 뺄셈을 하여 빈칸에 알맞은 수를 쓰세요.

$-\dfrac{3}{10}$	
$\dfrac{5}{10}$	
$\dfrac{11}{10}$	
$\dfrac{7}{10}$	

$-\dfrac{7}{9}$	
$\dfrac{15}{9}$	
$\dfrac{8}{9}$	
$\dfrac{12}{9}$	

$-\dfrac{3}{6}$	
$\dfrac{7}{6}$	
$\dfrac{5}{6}$	
$\dfrac{10}{6}$	

4 ☐ 안에 알맞은 수를 쓰세요.

$\frac{13}{8}$ 은 $\frac{1}{8}$ 이 ☐ 개, $\frac{7}{8}$ 은 $\frac{1}{8}$ 이 ☐ 개

$\frac{13}{8} - \frac{7}{8}$ 은 $\frac{1}{8}$ 이 ☐ 개이므로

➡ $\frac{13}{8} - \frac{7}{8} = \dfrac{\boxed{}}{\boxed{}}$

5 빈칸에 알맞은 분수를 쓰세요.

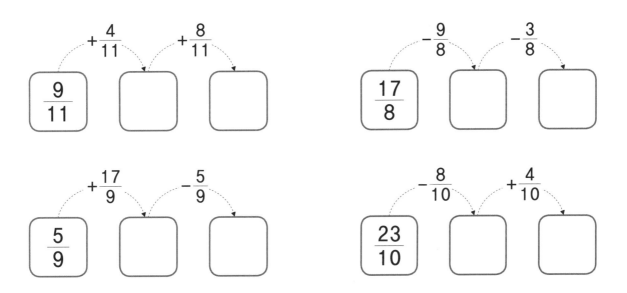

6 지윤이는 물을 $\dfrac{5}{9}$ 컵, 효빈이는 $\dfrac{17}{9}$ 컵 가지고 있습니다.

지윤이와 효빈이가 가진 물의 양의 합을 대분수로 나타내세요.

식 _____   답 _____ 컵

지윤이와 효빈이가 가진 물의 양의 차를 대분수로 나타내세요.

식 _____   답 _____ 컵

7 가 있는 분수의 덧셈과 뺄셈을 하세요.

$$\dfrac{8}{5} + \dfrac{\square}{\square} = \dfrac{12}{5}$$ $$\dfrac{\square}{\square} + \dfrac{17}{8} = \dfrac{21}{8}$$ $$\dfrac{7}{12} + \dfrac{\square}{\square} = \dfrac{15}{12}$$

$$\dfrac{\square}{\square} - \dfrac{8}{7} = \dfrac{15}{7}$$ $$\dfrac{32}{11} - \dfrac{\square}{\square} = \dfrac{16}{11}$$ $$\dfrac{\square}{\square} - \dfrac{13}{9} = \dfrac{19}{9}$$

8 어떤 수에서 $\dfrac{6}{7}$ 을 빼야할 것을 잘못하여 더했더니 $\dfrac{25}{7}$ 가 되었습니다. 바르게 계산하면 얼마일까요?

잘못된 식: 식 _____   어떤 수: _____

바르게 계산하기: 식 _____   답 _____

상위권으로 가는 문제 해결 연산 학습지

정답

응용
연산

C2
초3~초4

여러 가지 분수

Creative to Math
씨투엠

C2 여러 가지 분수

초3 ~ 초4

정답 및 길잡이

분수 나타내기

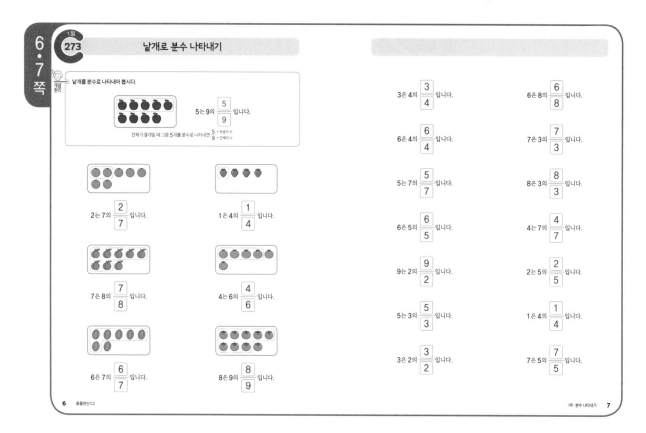

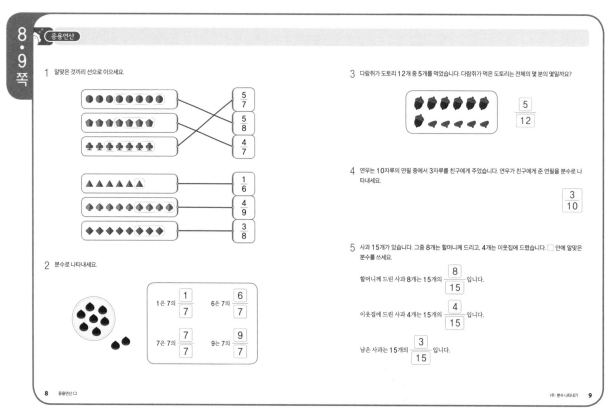

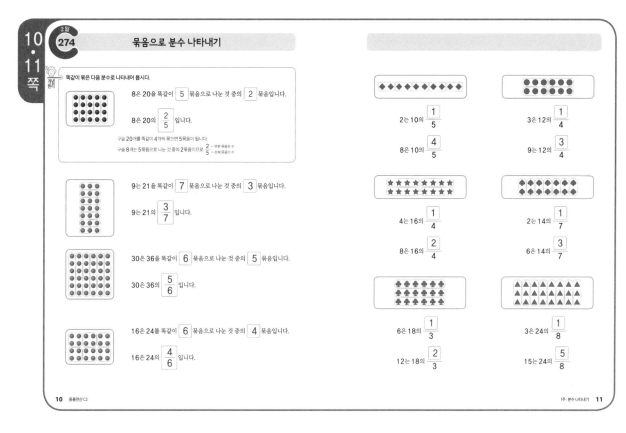

2일 274 **묶음으로 분수 나타내기**

똑같이 묶은 다음 분수로 나타내어 봅시다.

8은 20을 똑같이 [5] 묶음으로 나눈 것 중의 [2] 묶음입니다.

8은 20의 $\dfrac{2}{5}$ 입니다.

구슬 20개를 똑같이 4개씩 묶으면 5묶음이 됩니다.
구슬 8개는 5묶음으로 나눈 것 중의 2묶음이므로 $\dfrac{2}{5} ← \dfrac{부분 묶음의 수}{전체 묶음의 수}$

9는 21을 똑같이 [7] 묶음으로 나눈 것 중의 [3] 묶음입니다.

9는 21의 $\dfrac{3}{7}$ 입니다.

30은 36을 똑같이 [6] 묶음으로 나눈 것 중의 [5] 묶음입니다.

30은 36의 $\dfrac{5}{6}$ 입니다.

16은 24를 똑같이 [6] 묶음으로 나눈 것 중의 [4] 묶음입니다.

16은 24의 $\dfrac{4}{6}$ 입니다.

2는 10의 $\dfrac{1}{5}$

8은 10의 $\dfrac{4}{5}$

3은 12의 $\dfrac{1}{4}$

9는 12의 $\dfrac{3}{4}$

4는 16의 $\dfrac{1}{4}$

8은 16의 $\dfrac{2}{4}$

2는 14의 $\dfrac{1}{7}$

6은 14의 $\dfrac{3}{7}$

6은 18의 $\dfrac{1}{3}$

12는 18의 $\dfrac{2}{3}$

3은 24의 $\dfrac{1}{8}$

15는 24의 $\dfrac{5}{8}$

응용연산

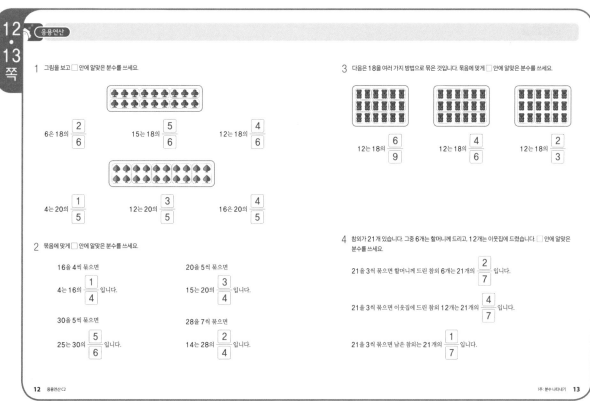

1 그림을 보고 □ 안에 알맞은 분수를 쓰세요

6은 18의 $\dfrac{2}{6}$ 15는 18의 $\dfrac{5}{6}$ 12는 18의 $\dfrac{4}{6}$

4는 20의 $\dfrac{1}{5}$ 12는 20의 $\dfrac{3}{5}$ 16은 20의 $\dfrac{4}{5}$

2 묶음에 맞게 □ 안에 알맞은 분수를 쓰세요.

16을 4씩 묶으면
4는 16의 $\dfrac{1}{4}$ 입니다.

20을 5씩 묶으면
15는 20의 $\dfrac{3}{4}$ 입니다.

30을 5씩 묶으면
25는 30의 $\dfrac{5}{6}$ 입니다.

28을 7씩 묶으면
14는 28의 $\dfrac{2}{4}$ 입니다.

3 다음은 18을 여러 가지 방법으로 묶은 것입니다. 묶음에 맞게 □ 안에 알맞은 분수를 쓰세요

12는 18의 $\dfrac{6}{9}$ 12는 18의 $\dfrac{4}{6}$ 12는 18의 $\dfrac{2}{3}$

4 참외가 21개 있습니다. 그중 6개는 할머니께 드리고, 12개는 이웃집에 드렸습니다. □ 안에 알맞은 분수를 쓰세요

21을 3씩 묶으면 할머니께 드린 참외 6개는 21개의 $\dfrac{2}{7}$ 입니다.

21을 3씩 묶으면 이웃집에 드린 참외 12개는 21개의 $\dfrac{4}{7}$ 입니다.

21을 3씩 묶으면 남은 참외는 21개의 $\dfrac{1}{7}$ 입니다.

정답 및 해설

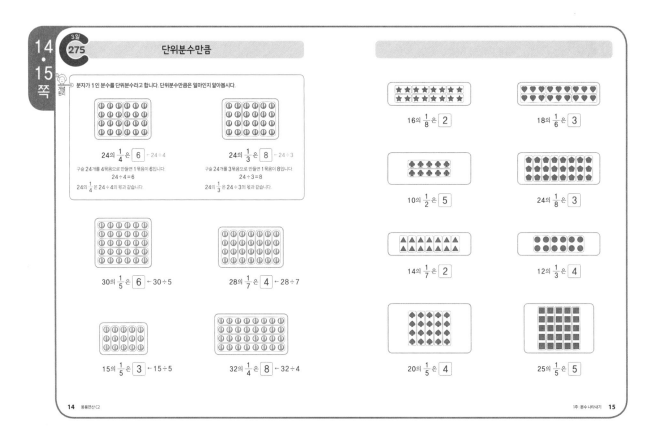

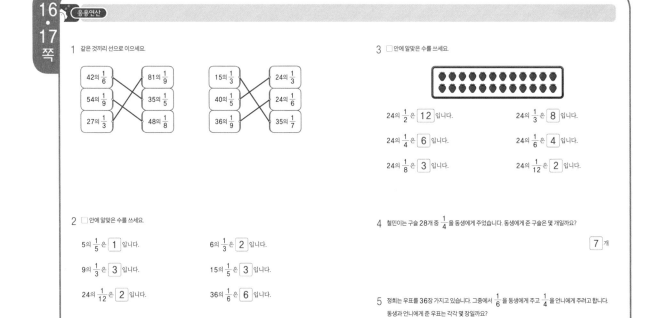

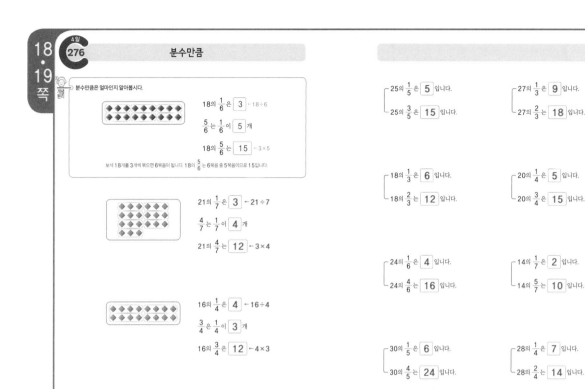

4일
276   C   분수만큼

개념원리 분수만큼은 얼마인지 알아봅시다.

18의 $\frac{1}{6}$ 은 $\boxed{3}$ ← 18÷6

$\frac{5}{6}$ 는 $\frac{1}{6}$ 이 $\boxed{5}$ 개

18의 $\frac{5}{6}$ 는 $\boxed{15}$ ← 3×5

보석 18개를 3개씩 묶으면 6묶음이 됩니다. 18의 $\frac{5}{6}$ 는 6묶음 중 5묶음이므로 15입니다.

21의 $\frac{1}{7}$ 은 $\boxed{3}$ ← 21÷7

$\frac{4}{7}$ 는 $\frac{1}{7}$ 이 $\boxed{4}$ 개

21의 $\frac{4}{7}$ 는 $\boxed{12}$ ← 3×4

16의 $\frac{1}{4}$ 은 $\boxed{4}$ ← 16÷4

$\frac{3}{4}$ 은 $\frac{1}{4}$ 이 $\boxed{3}$ 개

16의 $\frac{3}{4}$ 은 $\boxed{12}$ ← 4×3

┌ 25의 $\frac{1}{5}$ 은 $\boxed{5}$ 입니다.
└ 25의 $\frac{3}{5}$ 는 $\boxed{15}$ 입니다.

┌ 27의 $\frac{1}{3}$ 은 $\boxed{9}$ 입니다.
└ 27의 $\frac{2}{3}$ 는 $\boxed{18}$ 입니다.

┌ 18의 $\frac{1}{3}$ 은 $\boxed{6}$ 입니다.
└ 18의 $\frac{2}{3}$ 는 $\boxed{12}$ 입니다.

┌ 20의 $\frac{1}{4}$ 은 $\boxed{5}$ 입니다.
└ 20의 $\frac{3}{4}$ 은 $\boxed{15}$ 입니다.

┌ 24의 $\frac{1}{6}$ 은 $\boxed{4}$ 입니다.
└ 24의 $\frac{4}{6}$ 는 $\boxed{16}$ 입니다.

┌ 14의 $\frac{1}{7}$ 은 $\boxed{2}$ 입니다.
└ 14의 $\frac{5}{7}$ 는 $\boxed{10}$ 입니다.

┌ 30의 $\frac{1}{5}$ 은 $\boxed{6}$ 입니다.
└ 30의 $\frac{4}{5}$ 는 $\boxed{24}$ 입니다.

┌ 28의 $\frac{1}{4}$ 은 $\boxed{7}$ 입니다.
└ 28의 $\frac{2}{4}$ 는 $\boxed{14}$ 입니다.

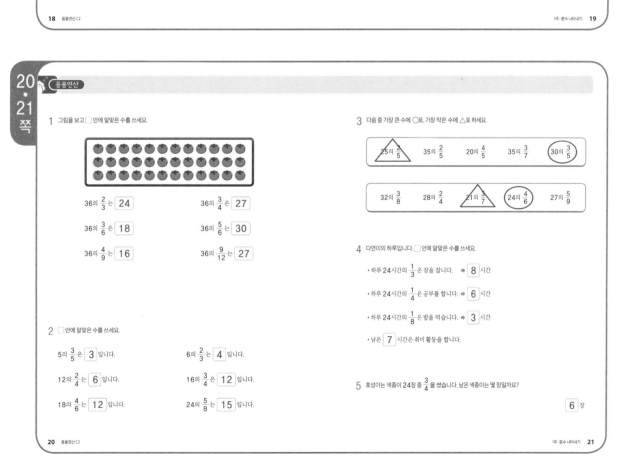

응용연산

1 그림을 보고 □ 안에 알맞은 수를 쓰세요.

36의 $\frac{2}{3}$ 는 $\boxed{24}$ 36의 $\frac{3}{4}$ 은 $\boxed{27}$

36의 $\frac{3}{6}$ 은 $\boxed{18}$ 36의 $\frac{5}{6}$ 는 $\boxed{30}$

36의 $\frac{4}{9}$ 는 $\boxed{16}$ 36의 $\frac{9}{12}$ 는 $\boxed{27}$

2 □ 안에 알맞은 수를 쓰세요.

5의 $\frac{3}{5}$ 은 $\boxed{3}$ 입니다.   6의 $\frac{2}{3}$ 는 $\boxed{4}$ 입니다.

12의 $\frac{2}{4}$ 는 $\boxed{6}$ 입니다.   16의 $\frac{3}{4}$ 은 $\boxed{12}$ 입니다.

18의 $\frac{4}{6}$ 는 $\boxed{12}$ 입니다.   24의 $\frac{5}{8}$ 는 $\boxed{15}$ 입니다.

3 다음 중 가장 큰 수에 ○표, 가장 작은 수에 △표 하세요.

△ 25의 $\frac{2}{5}$ 35의 $\frac{2}{5}$ 20의 $\frac{4}{5}$ 35의 $\frac{3}{7}$ ○ 30의 $\frac{3}{5}$

32의 $\frac{3}{8}$ 28의 $\frac{2}{4}$ △ 21의 $\frac{3}{7}$ ○ 24의 $\frac{4}{6}$ 27의 $\frac{5}{9}$

4 다연이의 하루입니다. □ 안에 알맞은 수를 쓰세요.

• 하루 24시간의 $\frac{1}{3}$ 은 잠을 잡니다. ➡ $\boxed{8}$ 시간

• 하루 24시간의 $\frac{1}{4}$ 은 공부를 합니다. ➡ $\boxed{6}$ 시간

• 하루 24시간의 $\frac{1}{8}$ 은 밥을 먹습니다. ➡ $\boxed{3}$ 시간

• 남은 $\boxed{7}$ 시간은 취미 활동을 합니다.

5 호성이는 색종이 24장 중 $\frac{3}{4}$ 을 썼습니다. 남은 색종이는 몇 장일까요?

$\boxed{6}$ 장

22·23쪽

😣 형성평가

1 □안에 알맞은 분수를 쓰세요.

4는 5의 $\dfrac{4}{5}$ 입니다.

11은 4의 $\dfrac{11}{4}$ 입니다.

7은 2의 $\dfrac{7}{2}$ 입니다.

5는 6의 $\dfrac{5}{6}$ 입니다.

2 진구는 딸기 12개 중에 7개를 먹었습니다. 진구가 먹은 딸기를 분수로 나타내세요.

$\dfrac{7}{12}$

3 묶음에 맞게 □안에 알맞은 분수를 쓰세요.

21을 3씩 묶으면

15는 21의 $\dfrac{5}{7}$ 입니다.

25를 5씩 묶으면

10은 25의 $\dfrac{2}{5}$ 입니다.

16을 4씩 묶으면

12는 16의 $\dfrac{3}{4}$ 입니다.

28을 4씩 묶으면

16은 28의 $\dfrac{4}{7}$ 입니다.

4 연수는 하루 24시간 중 6시간을 학교에서 보내고 3시간은 놀이터에서 보내고, 남은 시간은 집에서 보냈습니다. □안에 알맞은 분수를 쓰세요.

24를 3씩 묶으면 학교에서 보낸 6시간은 24시간의 $\dfrac{2}{8}$ 입니다.

24를 3씩 묶으면 놀이터에서 보낸 3시간은 24시간의 $\dfrac{1}{8}$ 입니다.

24를 3씩 묶으면 집에서 보낸 남은 시간은 24시간의 $\dfrac{5}{8}$ 입니다.

5 같은 것끼리 선으로 이으세요.

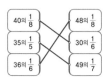
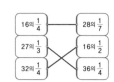

6 민우는 사탕 32개 중 $\dfrac{1}{8}$ 을 먹었습니다. 몇 개의 사탕을 먹었을까요?

$\boxed{4}$ 개

24쪽

7 □안에 알맞은 수를 쓰세요.

16의 $\dfrac{1}{4}$ 은 $\boxed{4}$ 입니다.
16의 $\dfrac{3}{4}$ 은 $\boxed{12}$ 입니다.

21의 $\dfrac{1}{7}$ 은 $\boxed{3}$ 입니다.
21의 $\dfrac{5}{7}$ 는 $\boxed{15}$ 입니다.

25의 $\dfrac{1}{5}$ 은 $\boxed{5}$ 입니다.
25의 $\dfrac{2}{5}$ 는 $\boxed{10}$ 입니다.

18의 $\dfrac{1}{3}$ 은 $\boxed{6}$ 입니다.
18의 $\dfrac{2}{3}$ 는 $\boxed{12}$ 입니다.

8 □안에 알맞은 수를 쓰세요.

8의 $\dfrac{3}{4}$ 은 $\boxed{6}$ 입니다.

10의 $\dfrac{4}{5}$ 는 $\boxed{8}$ 입니다.

20의 $\dfrac{3}{5}$ 은 $\boxed{12}$ 입니다.

28의 $\dfrac{3}{4}$ 은 $\boxed{21}$ 입니다.

24의 $\dfrac{6}{8}$ 은 $\boxed{18}$ 입니다.

14의 $\dfrac{2}{7}$ 는 $\boxed{4}$ 입니다.

9 소정이는 한 달 30일 중 $\dfrac{2}{5}$ 는 책을 읽었습니다. 책을 읽지 않은 날은 며칠일까요?

$\boxed{18}$ 일

분수의 종류

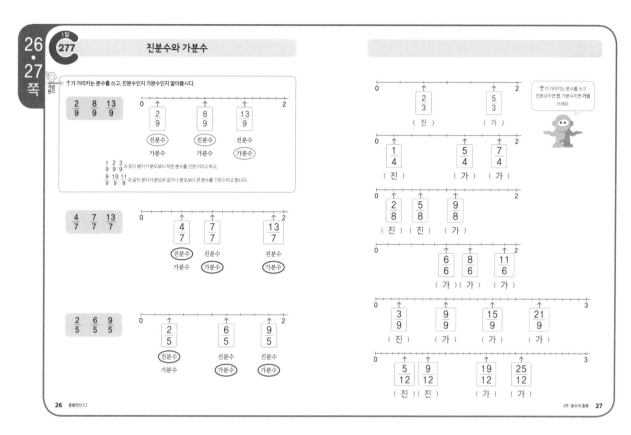

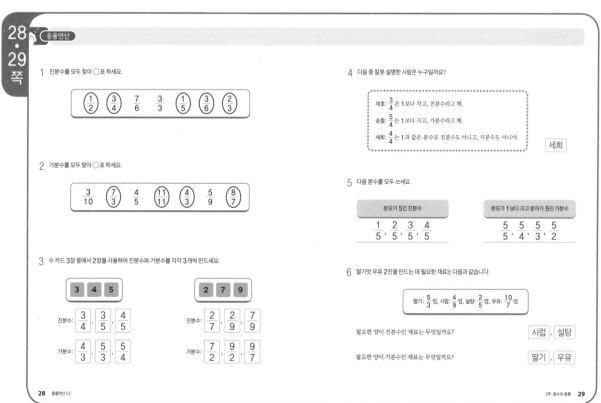

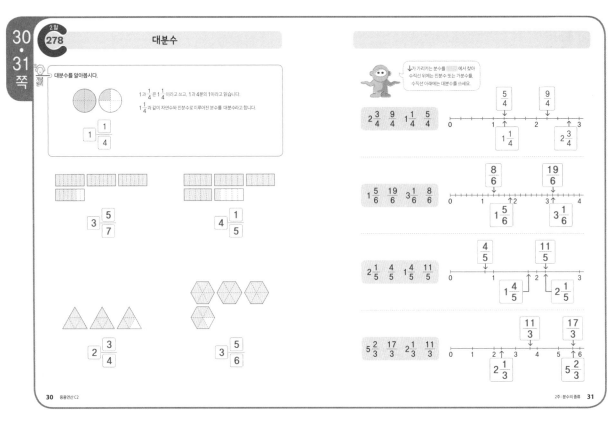

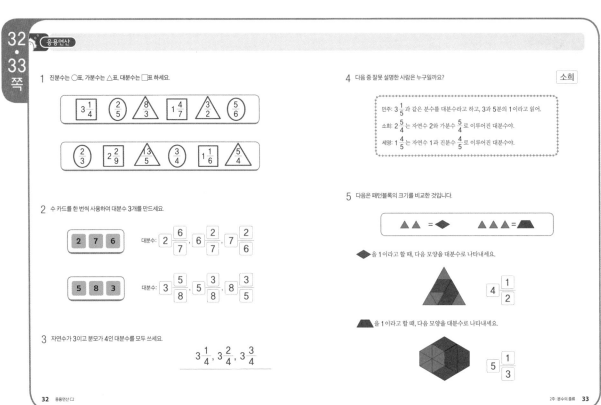

3일 279 C 대분수를 가분수로 고치기

개념 대분수를 가분수로 고쳐봅시다.

$3\frac{4}{5} = \boxed{\dfrac{19}{5}}$

$\frac{1}{5}$이 $\boxed{15}$ 개 $\frac{1}{5}$이 $\boxed{4}$ 개

3은 $\frac{1}{5}$이 15개이고 $\frac{4}{5}$는 $\frac{1}{5}$이 4개입니다.

$3\frac{4}{5}$는 $\frac{1}{5}$이 19개이므로 가분수로 나타내면 $\frac{19}{5}$입니다.

$\frac{1}{8}$이 $\boxed{8}$ 개 $\frac{1}{8}$이 $\boxed{7}$ 개 $\frac{1}{7}$이 $\boxed{14}$ 개 $\frac{1}{7}$이 $\boxed{5}$ 개

$1\frac{7}{8} = \boxed{\dfrac{15}{8}}$ $2\frac{5}{7} = \boxed{\dfrac{19}{7}}$

$\frac{1}{3}$이 $\boxed{15}$ 개 $\frac{1}{3}$이 $\boxed{2}$ 개 $\frac{1}{4}$이 $\boxed{16}$ 개 $\frac{1}{4}$이 $\boxed{3}$ 개

$5\frac{2}{3} = \boxed{\dfrac{17}{3}}$ $4\frac{3}{4} = \boxed{\dfrac{19}{4}}$

1은 $\frac{1}{7}$이 $\boxed{7}$ 개
$\frac{3}{7}$은 $\frac{1}{7}$이 $\boxed{3}$ 개
$1\frac{3}{7}$은 $\frac{1}{7}$이 $\boxed{10}$ 개

$1\frac{3}{7} = \boxed{\dfrac{10}{7}}$

1은 $\frac{1}{5}$이 $\boxed{5}$ 개
$\frac{4}{5}$는 $\frac{1}{5}$이 $\boxed{4}$ 개
$1\frac{4}{5}$는 $\frac{1}{5}$이 $\boxed{9}$ 개

$1\frac{4}{5} = \boxed{\dfrac{9}{5}}$

2는 $\frac{1}{8}$이 $\boxed{16}$ 개
$\frac{3}{8}$은 $\frac{1}{8}$이 $\boxed{3}$ 개
$2\frac{3}{8}$은 $\frac{1}{8}$이 $\boxed{19}$ 개

$2\frac{3}{8} = \boxed{\dfrac{19}{8}}$

3은 $\frac{1}{6}$이 $\boxed{18}$ 개
$\frac{2}{6}$는 $\frac{1}{6}$이 $\boxed{2}$ 개
$3\frac{2}{6}$는 $\frac{1}{6}$이 $\boxed{20}$ 개

$3\frac{2}{6} = \boxed{\dfrac{20}{6}}$

4는 $\frac{1}{4}$이 $\boxed{16}$ 개
$\frac{2}{6}$는 $\frac{1}{4}$이 $\boxed{1}$ 개
$4\frac{1}{4}$은 $\frac{1}{4}$이 $\boxed{17}$ 개

$4\frac{1}{4} = \boxed{\dfrac{17}{4}}$

2는 $\frac{1}{3}$이 $\boxed{6}$ 개
$\frac{2}{3}$는 $\frac{1}{3}$이 $\boxed{2}$ 개
$2\frac{2}{3}$는 $\frac{1}{3}$이 $\boxed{8}$ 개

$2\frac{2}{3} = \boxed{\dfrac{8}{3}}$

$2\frac{5}{6} = \boxed{\dfrac{17}{6}}$ $4\frac{3}{5} = \boxed{\dfrac{23}{5}}$ $1\frac{1}{9} = \boxed{\dfrac{10}{9}}$

$3\frac{3}{4} = \boxed{\dfrac{15}{4}}$ $2\frac{5}{8} = \boxed{\dfrac{21}{8}}$ $4\frac{2}{3} = \boxed{\dfrac{14}{3}}$

응용연산

1 같은 것끼리 선으로 이으세요.

3 다음 그림을 보고 대분수와 가분수로 나타내세요.

대분수: $\boxed{4\frac{1}{4}}$ 가분수: $\boxed{\dfrac{17}{4}}$ 대분수: $\boxed{2\frac{5}{6}}$ 가분수: $\boxed{\dfrac{17}{6}}$

2 수 카드를 한 번씩 사용하여 대분수를 3개 만들고 가분수로 나타내세요.

$\boxed{2}\frac{\boxed{3}}{5} = \boxed{\dfrac{13}{5}}$ $\boxed{3}\frac{\boxed{2}}{5} = \boxed{\dfrac{17}{5}}$ $\boxed{5}\frac{\boxed{2}}{3} = \boxed{\dfrac{17}{3}}$

$\boxed{3}\frac{\boxed{4}}{6} = \boxed{\dfrac{22}{6}}$ $\boxed{4}\frac{\boxed{3}}{6} = \boxed{\dfrac{27}{6}}$ $\boxed{6}\frac{\boxed{3}}{4} = \boxed{\dfrac{27}{4}}$

4 정호는 색종이 5장과 1장의 $\frac{1}{4}$을 사용하여 고리 팔지를 만들었습니다. 정호가 사용한 색종이의 양을 가분수로 나타내세요.

$\boxed{\dfrac{21}{4}}$

5 먹고 남은 피자를 대분수로 나타내면 $2\frac{1}{6}$입니다. 똑같이 6조각으로 나누어진 피자는 몇 조각 남았을까요?

$\boxed{13}$ 조각

38·39쪽

280 가분수를 대분수로 고치기

가분수만큼 색칠하고 대분수로 고쳐 봅시다.

$\dfrac{7}{4} = 1\dfrac{3}{4}$

$\dfrac{7}{4}$은 $\dfrac{1}{4}$이 7개입니다.
$\dfrac{1}{4}$을 7개 색칠하면 1과 $\dfrac{3}{4}$입니다.

$\dfrac{8}{3} = 2\dfrac{2}{3}$

$\dfrac{8}{3}$은 $\dfrac{1}{3}$이 8개입니다.
$\dfrac{1}{3}$을 8개 색칠하면 2와 $\dfrac{2}{3}$입니다.

$\dfrac{7}{6} = 1\dfrac{1}{6}$

$\dfrac{11}{4} = 2\dfrac{3}{4}$

$\dfrac{12}{5} = 2\dfrac{2}{5}$

$\dfrac{13}{8} = 1\dfrac{5}{8}$

$\dfrac{14}{5} = 2\dfrac{4}{5}$ ($\dfrac{10}{5}$, $\dfrac{4}{5}$)

$\dfrac{8}{3} = 2\dfrac{2}{3}$ ($\dfrac{6}{3}$, $\dfrac{2}{3}$)

$\dfrac{10}{6} = 1\dfrac{4}{6}$ ($\dfrac{6}{6}$, $\dfrac{4}{6}$)

$\dfrac{23}{4} = 5\dfrac{3}{4}$ ($\dfrac{20}{4}$, $\dfrac{3}{4}$)

$\dfrac{18}{7} = 2\dfrac{4}{7}$ ($\dfrac{14}{7}$, $\dfrac{4}{7}$)

$\dfrac{7}{2} = 3\dfrac{1}{2}$ ($\dfrac{6}{2}$, $\dfrac{1}{2}$)

$\dfrac{17}{8} = 2\dfrac{1}{8}$ ($\dfrac{16}{8}$, $\dfrac{1}{8}$)

$\dfrac{31}{9} = 3\dfrac{4}{9}$ ($\dfrac{27}{9}$, $\dfrac{4}{9}$)

$\dfrac{11}{4} = 2\dfrac{3}{4}$ ($\dfrac{8}{4}$, $\dfrac{3}{4}$)

$\dfrac{9}{4} = 2\dfrac{1}{4}$

$\dfrac{7}{5} = 1\dfrac{2}{5}$

$\dfrac{9}{2} = 4\dfrac{1}{2}$

$\dfrac{25}{6} = 4\dfrac{1}{6}$

$\dfrac{17}{7} = 2\dfrac{3}{7}$

$\dfrac{14}{3} = 4\dfrac{2}{3}$

40·41쪽

응용연산

1 같은 것끼리 선으로 이으세요.

$\dfrac{17}{8}$ — $2\dfrac{1}{8}$
$\dfrac{17}{7}$ — $2\dfrac{3}{7}$
$\dfrac{24}{7}$ — $3\dfrac{3}{7}$

$\dfrac{16}{6}$ — $2\dfrac{4}{6}$
$\dfrac{16}{5}$ — $3\dfrac{1}{5}$
$\dfrac{12}{5}$ — $2\dfrac{2}{5}$

2 수 카드 3장 중에서 2장을 사용하여 만들 수 있는 가분수를 모두 쓰고, 대분수로 나타내세요.

[3][4][7]

$\dfrac{4}{3} = 1\dfrac{1}{3}$ $\dfrac{7}{3} = 2\dfrac{1}{3}$ $\dfrac{7}{4} = 1\dfrac{3}{4}$

[2][7][9]

$\dfrac{7}{2} = 3\dfrac{1}{2}$ $\dfrac{9}{2} = 4\dfrac{1}{2}$ $\dfrac{9}{7} = 1\dfrac{2}{7}$

3 소정이네 모둠 학생들 중 가분수 $\dfrac{13}{4}$ 을 대분수로 바르게 고친 사람은 누구일까요?

소정: $\dfrac{13}{4}$은 1과 $\dfrac{9}{4}$와 같아. $\dfrac{13}{4}$은 $1\dfrac{9}{4}$로 고칠 수 있어.
현주: $\dfrac{13}{4}$은 2과 $\dfrac{5}{4}$와 같아. $\dfrac{13}{4}$은 $2\dfrac{5}{4}$로 고칠 수 있어.
희주: $\dfrac{13}{4}$은 3과 $\dfrac{1}{4}$과 같아. $\dfrac{13}{4}$은 $3\dfrac{1}{4}$로 고칠 수 있어.

[희주]

4 주스를 만드는 데 토마토 $\dfrac{7}{5}$ 개, 오렌지 $4\dfrac{5}{6}$ 개, 물 $\dfrac{4}{5}$ 컵이 필요하다고 합니다. 가분수를 찾아 대분수로 나타내세요.

$1\dfrac{2}{5}$

5 연우네 모둠은 6조각으로 나누어진 똑같은 크기의 피자 3개 중에서 11조각을 먹었습니다.

연우네 모둠이 먹은 피자의 양을 가분수와 대분수로 나타내세요.

$\dfrac{11}{6} = 1\dfrac{5}{6}$ 개

남은 피자의 양을 가분수와 대분수로 나타내세요.

$\dfrac{7}{6} = 1\dfrac{1}{6}$ 개

형성평가

1 ↑가 가리키는 분수를 쓰고 진분수이면 진, 가분수이면 가를 쓰세요.

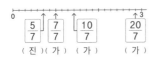

$\dfrac{6}{9}$	$\dfrac{13}{9}$	$\dfrac{16}{9}$		$\dfrac{1}{5}$	$\dfrac{4}{5}$	$\dfrac{8}{5}$
(진)	(가)	(가)		(진)	(진)	(가)

$\dfrac{5}{7}$	$\dfrac{7}{7}$	$\dfrac{10}{7}$	$\dfrac{20}{7}$
(진)	(가)	(가)	(가)

2 수 카드 3장 중에서 2장을 사용하여 진분수와 가분수를 각각 3개씩 만드세요.

[2] [5] [7]

진분수: $\dfrac{2}{5}$, $\dfrac{2}{7}$, $\dfrac{5}{7}$

가분수: $\dfrac{5}{2}$, $\dfrac{7}{2}$, $\dfrac{7}{5}$

[3] [7] [9]

진분수: $\dfrac{3}{7}$, $\dfrac{3}{9}$, $\dfrac{7}{9}$

가분수: $\dfrac{7}{3}$, $\dfrac{9}{3}$, $\dfrac{9}{7}$

3 진분수는 ○표, 가분수는 △표, 대분수는 □표 하세요.

△$\dfrac{7}{2}$ □$4\dfrac{3}{6}$ ○$\dfrac{2}{5}$ △$\dfrac{7}{4}$ □$2\dfrac{5}{8}$ ○$\dfrac{1}{7}$

○$\dfrac{5}{9}$ △$\dfrac{8}{3}$ □$1\dfrac{5}{11}$ □$3\dfrac{4}{7}$ △$\dfrac{13}{2}$ ○$\dfrac{3}{8}$

4 자연수가 7이고 분모가 5인 대분수를 모두 쓰세요.

$7\dfrac{1}{5}$, $7\dfrac{2}{5}$, $7\dfrac{3}{5}$, $7\dfrac{4}{5}$

5 □ 안에 알맞은 수를 쓰세요.

2는 $\dfrac{1}{7}$ 이 14 개
$\dfrac{5}{7}$ 는 $\dfrac{1}{7}$ 이 5 개
$2\dfrac{5}{7}$ 는 $\dfrac{1}{7}$ 이 19 개

$2\dfrac{5}{7} = \dfrac{19}{7}$

3은 $\dfrac{1}{8}$ 이 24 개
$\dfrac{3}{8}$ 은 $\dfrac{1}{8}$ 이 3 개
$3\dfrac{3}{8}$ 은 $\dfrac{1}{8}$ 이 27 개

$3\dfrac{3}{8} = \dfrac{27}{8}$

4는 $\dfrac{1}{6}$ 이 24 개
$\dfrac{5}{6}$ 는 $\dfrac{1}{6}$ 이 5 개
$4\dfrac{5}{6}$ 는 $\dfrac{1}{6}$ 이 29 개

$4\dfrac{5}{6} = \dfrac{29}{6}$

---

6 민서네 가족은 호떡 6개와 $\dfrac{1}{3}$ 을 먹었습니다. 민서네가 먹은 호떡의 양을 가분수로 나타내세요.

$\dfrac{19}{3}$ 개

7 □ 안에 알맞은 수를 쓰세요.

$\dfrac{7}{2} = 3\dfrac{1}{2}$

$\dfrac{20}{3} = 6\dfrac{2}{3}$

$\dfrac{19}{7} = 2\dfrac{5}{7}$

$\dfrac{23}{5} = 4\dfrac{3}{5}$

$\dfrac{31}{6} = 5\dfrac{1}{6}$

$\dfrac{29}{8} = 3\dfrac{5}{8}$

8 가연이는 4조각으로 나누어진 똑같은 크기의 색종이 6장 중에서 17조각을 사용했습니다.

가연이가 사용한 색종이를 가분수와 대분수로 나타내세요.

$\dfrac{17}{4} = 4\dfrac{1}{4}$ 장

남은 색종이를 가분수와 대분수로 나타내세요.

$\dfrac{7}{4} = 1\dfrac{3}{4}$ 장

분수의 크기 (2)

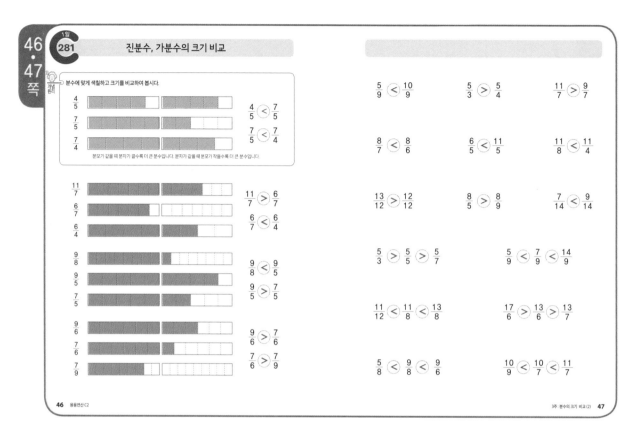

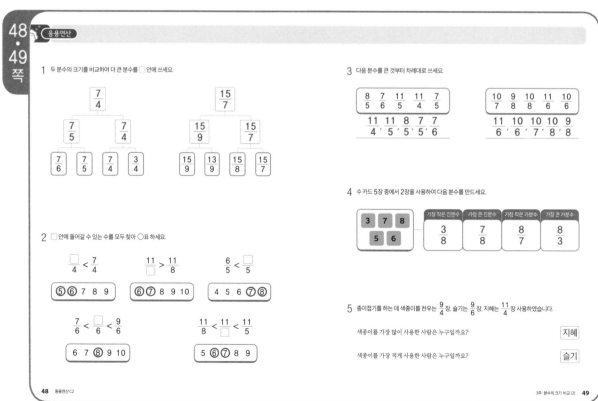

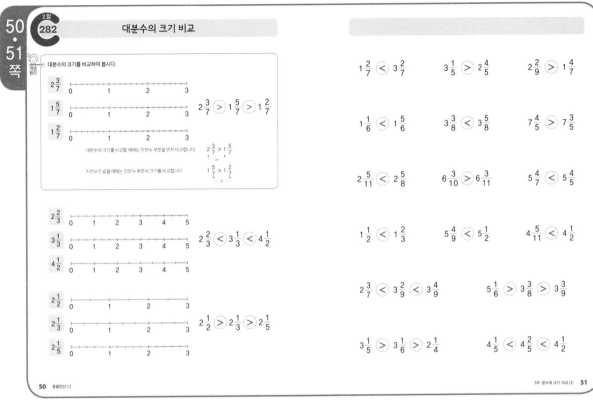

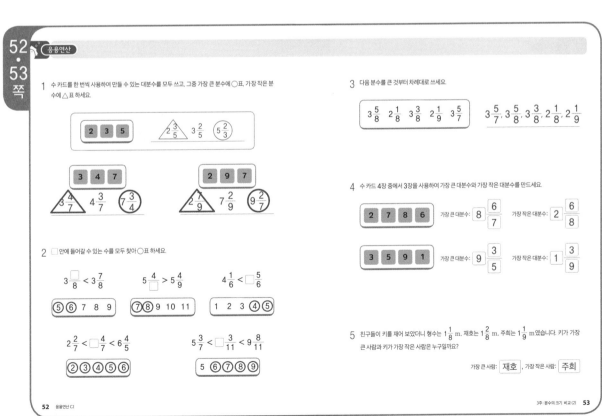

정답 및 해설 **13**

54·55쪽

3일 283 C 대분수와 가분수의 크기 비교

대분수와 가분수의 크기를 비교하여 봅시다.

$\dfrac{11}{5}$ ⟨$<$⟩ $2\dfrac{3}{5}$ = $\dfrac{13}{5}$

대분수를 가분수로 고친 다음 크기를 비교합니다.

$6\dfrac{2}{3}$ ⟨$>$⟩ $\dfrac{19}{3}$ = $6\dfrac{1}{3}$

가분수를 대분수로 고친 다음 크기를 비교합니다.

$\dfrac{10}{4}$ ⟨$<$⟩ $2\dfrac{3}{4}$ = $\dfrac{11}{4}$ 　　　$5\dfrac{1}{2}$ ⟨$>$⟩ $\dfrac{9}{2}$ = $4\dfrac{1}{2}$

$\dfrac{20}{9}$ ⟨$<$⟩ $2\dfrac{5}{9}$ = $\dfrac{23}{9}$ 　　　$3\dfrac{1}{4}$ ⟨$<$⟩ $\dfrac{15}{4}$ = $3\dfrac{3}{4}$

$\dfrac{17}{6}$ ⟨$>$⟩ $2\dfrac{3}{6}$ = $\dfrac{15}{6}$ 　　　$2\dfrac{5}{7}$ ⟨$>$⟩ $\dfrac{18}{7}$ = $2\dfrac{4}{7}$

$\dfrac{14}{3}$ ⟨$>$⟩ $4\dfrac{1}{3}$ = $\dfrac{13}{3}$ 　　　$4\dfrac{3}{8}$ ⟨$<$⟩ $\dfrac{37}{8}$ = $4\dfrac{5}{8}$

$\dfrac{11}{6}$ ⟨$=$⟩ $1\dfrac{5}{6}$ ⟨$<$⟩ $\dfrac{13}{6}$ 　　　$\dfrac{15}{4}$ ⟨$>$⟩ $3\dfrac{1}{4}$ ⟨$>$⟩ $\dfrac{10}{4}$

$3\dfrac{2}{7}$ ⟨$>$⟩ $\dfrac{22}{7}$ ⟨$>$⟩ $2\dfrac{6}{7}$ 　　　$6\dfrac{1}{3}$ ⟨$>$⟩ $\dfrac{17}{3}$ ⟨$>$⟩ $5\dfrac{1}{3}$

$\dfrac{15}{8}$ ⟨$>$⟩ $1\dfrac{5}{8}$ ⟨$>$⟩ $\dfrac{11}{8}$ 　　　$\dfrac{21}{9}$ ⟨$=$⟩ $2\dfrac{3}{9}$ ⟨$<$⟩ $\dfrac{19}{8}$

$\dfrac{21}{5}$ ⟨$>$⟩ $4\dfrac{1}{6}$ ⟨$>$⟩ $\dfrac{29}{7}$ 　　　$\dfrac{22}{7}$ ⟨$=$⟩ $3\dfrac{1}{7}$ ⟨$<$⟩ $\dfrac{19}{6}$

$4\dfrac{1}{5}$ ⟨$>$⟩ $\dfrac{18}{5}$ ⟨$>$⟩ $3\dfrac{2}{5}$ 　　　$2\dfrac{1}{9}$ ⟨$<$⟩ $\dfrac{19}{8}$ ⟨$<$⟩ $2\dfrac{5}{7}$

$\dfrac{11}{2}$ ⟨$<$⟩ $6\dfrac{1}{2}$ ⟨$<$⟩ $\dfrac{15}{2}$ 　　　$\dfrac{13}{4}$ ⟨$<$⟩ $3\dfrac{3}{4}$ ⟨$<$⟩ $\dfrac{19}{5}$

56·57쪽

응용연산

1 ☐안의 분수를 수직선에 ↓로 나타내고 작은 순서대로 분수를 쓰세요.

| $\dfrac{3}{8}$ | $2\dfrac{5}{8}$ | $\dfrac{9}{8}$ | $1\dfrac{7}{8}$ | $\dfrac{23}{8}$ |

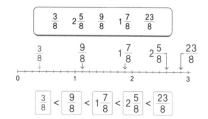

$\dfrac{3}{8}$ ⟨$<$⟩ $\dfrac{9}{8}$ ⟨$<$⟩ $1\dfrac{7}{8}$ ⟨$<$⟩ $2\dfrac{5}{8}$ ⟨$<$⟩ $\dfrac{23}{8}$

2 ☐안에 들어갈 수 있는 수를 모두 쓰세요.

$1\dfrac{1}{9} < \dfrac{☐}{9} < 1\dfrac{8}{9}$ 　　 2, 3, 4, 5, 6, 7

$\dfrac{4}{3} < \dfrac{☐}{3} < \dfrac{19}{3}$ 　　 1, 2, 3, 4, 5

$1\dfrac{2}{7} < \dfrac{☐}{7} < 2\dfrac{1}{7}$ 　　 10, 11, 12, 13, 14

3 분수의 크기에 대해 잘못 설명한 사람은 누구일까요?　정호

 가분수는 진분수보다 항상 커 슬기

 대분수는 진분수보다 항상 커 승희

 대분수는 가분수보다 항상 커 정호

4 수 카드 5장 중에서 2장을 사용하여 가장 큰 가분수를 만들고 나머지 3장으로 가장 작은 대분수를 만든 다음 두 분수의 크기를 비교하세요.

| 5 | 2 | 4 | 9 | 6 |

$\dfrac{9}{2}$ ⟨$<$⟩ $4\dfrac{5}{6}$

| 2 | 4 | 7 | 5 | 3 |

$\dfrac{7}{2}$ ⟨$<$⟩ $3\dfrac{4}{5}$

| 2 | 5 | 9 | 7 | 3 |

$\dfrac{9}{2}$ ⟨$>$⟩ $3\dfrac{5}{7}$

5 지영이는 동화책을 $1\dfrac{1}{6}$ 시간, 희영이는 $\dfrac{6}{5}$ 시간, 소희는 $1\dfrac{1}{8}$ 시간 읽었습니다. 동화책을 읽은 시간이 가장 짧은 사람은 누구일까요?　소희

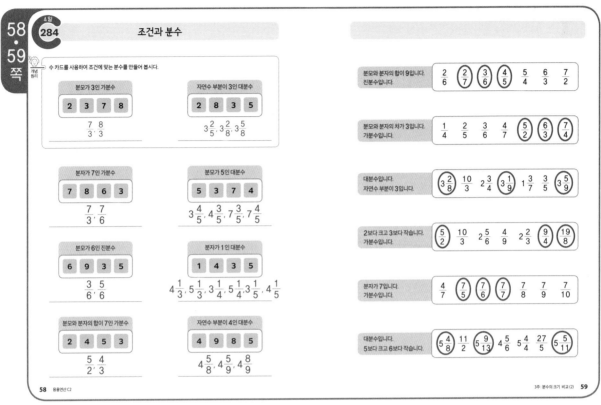

조건과 분수

수 카드를 사용하여 조건에 맞는 분수를 만들어 봅시다.

분모가 3인 가분수

$\boxed{2}\ \boxed{3}\ \boxed{7}\ \boxed{8}$

$\dfrac{7}{3},\dfrac{8}{3}$

자연수 부분이 3인 대분수

$\boxed{2}\ \boxed{8}\ \boxed{3}\ \boxed{5}$

$3\dfrac{2}{5},3\dfrac{2}{8},3\dfrac{5}{8}$

분자가 7인 가분수

$\boxed{7}\ \boxed{8}\ \boxed{6}\ \boxed{3}$

$\dfrac{7}{3},\dfrac{7}{6}$

분모가 5인 대분수

$\boxed{5}\ \boxed{3}\ \boxed{7}\ \boxed{4}$

$3\dfrac{4}{5},4\dfrac{3}{5},7\dfrac{3}{5},7\dfrac{4}{5}$

분모가 6인 진분수

$\boxed{6}\ \boxed{9}\ \boxed{3}\ \boxed{5}$

$\dfrac{3}{6},\dfrac{5}{6}$

분자가 1인 대분수

$\boxed{1}\ \boxed{4}\ \boxed{3}\ \boxed{5}$

$4\dfrac{1}{3},5\dfrac{1}{3},3\dfrac{1}{4},5\dfrac{1}{4},3\dfrac{1}{5},4\dfrac{1}{5}$

분모와 분자의 합이 7인 가분수

$\boxed{2}\ \boxed{4}\ \boxed{5}\ \boxed{3}$

$\dfrac{5}{2},\dfrac{4}{3}$

자연수 부분이 4인 대분수

$\boxed{4}\ \boxed{9}\ \boxed{8}\ \boxed{5}$

$4\dfrac{5}{8},4\dfrac{5}{9},4\dfrac{8}{9}$

분모와 분자의 합이 9입니다.
진분수입니다.

$\dfrac{2}{6}\quad\boxed{\dfrac{2}{7}}\quad\boxed{\dfrac{3}{6}}\quad\boxed{\dfrac{4}{5}}\quad\dfrac{5}{4}\quad\dfrac{6}{3}\quad\dfrac{7}{2}$

분모와 분자의 차가 3입니다.
가분수입니다.

$\dfrac{1}{4}\quad\dfrac{2}{5}\quad\dfrac{3}{6}\quad\dfrac{4}{7}\quad\boxed{\dfrac{5}{2}}\quad\boxed{\dfrac{6}{3}}\quad\boxed{\dfrac{7}{4}}$

대분수입니다.
자연수 부분이 3입니다.

$\boxed{3\dfrac{2}{8}}\quad\dfrac{10}{3}\quad2\dfrac{3}{4}\quad\boxed{3\dfrac{1}{9}}\quad1\dfrac{3}{7}\quad\dfrac{3}{5}\quad\boxed{3\dfrac{5}{9}}$

2보다 크고 3보다 작습니다.
가분수입니다.

$\boxed{\dfrac{5}{2}}\quad\dfrac{10}{3}\quad2\dfrac{5}{6}\quad\dfrac{4}{9}\quad2\dfrac{2}{3}\quad\boxed{\dfrac{9}{4}}\quad\boxed{\dfrac{19}{8}}$

분자가 7입니다.
가분수입니다.

$\dfrac{4}{7}\quad\boxed{\dfrac{7}{5}}\quad\boxed{\dfrac{7}{6}}\quad\boxed{\dfrac{7}{7}}\quad\dfrac{7}{8}\quad\dfrac{7}{9}\quad\dfrac{7}{10}$

대분수입니다.
5보다 크고 6보다 작습니다.

$\boxed{5\dfrac{4}{8}}\quad\dfrac{11}{2}\quad\boxed{5\dfrac{9}{13}}\quad\dfrac{4}{6}\quad5\dfrac{4}{4}\quad\dfrac{27}{5}\quad\boxed{5\dfrac{5}{11}}$

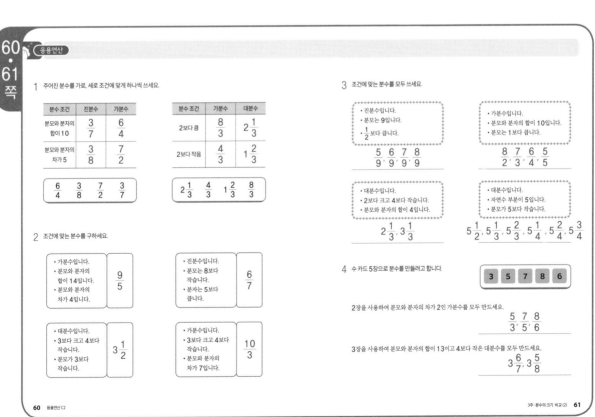

응용연산

1 주어진 분수를 가로, 세로 조건에 맞게 하나씩 쓰세요.

분수 조건	진분수	가분수
분모와 분자의 합이 10	$\dfrac{3}{7}$	$\dfrac{6}{4}$
분모와 분자의 차가 5	$\dfrac{3}{8}$	$\dfrac{7}{2}$

$\dfrac{6}{4}\quad\dfrac{3}{8}\quad\dfrac{7}{2}\quad\dfrac{3}{7}$

분수 조건	가분수	대분수
2보다 큼	$\dfrac{8}{3}$	$2\dfrac{1}{3}$
2보다 작음	$\dfrac{4}{3}$	$1\dfrac{2}{3}$

$2\dfrac{1}{3}\quad\dfrac{4}{3}\quad1\dfrac{2}{3}\quad\dfrac{8}{3}$

2 조건에 맞는 분수를 구하세요.

- 가분수입니다.
- 분모와 분자의 합이 14입니다.
- 분모와 분자의 차가 4입니다.

$\dfrac{9}{5}$

- 진분수입니다.
- 분모는 8보다 작습니다.
- 분자는 5보다 큽니다.

$\dfrac{6}{7}$

- 대분수입니다.
- 3보다 크고 4보다 작습니다.
- 분모가 3보다 작습니다.

$3\dfrac{1}{2}$

- 가분수입니다.
- 3보다 크고 4보다 작습니다.
- 분모와 분자의 차가 7입니다.

$\dfrac{10}{3}$

3 조건에 맞는 분수를 모두 쓰세요.

- 진분수입니다.
- 분모는 9입니다.
- $\dfrac{1}{2}$보다 큽니다.

$\dfrac{5}{9},\dfrac{6}{9},\dfrac{7}{9},\dfrac{8}{9}$

- 가분수입니다.
- 분모와 분자의 합이 10입니다.
- 분모는 1보다 큽니다.

$\dfrac{8}{2},\dfrac{7}{3},\dfrac{6}{4},\dfrac{5}{5}$

- 대분수입니다.
- 2보다 크고 4보다 작습니다.
- 분모와 분자의 합이 4입니다.

$2\dfrac{1}{3},3\dfrac{1}{3}$

- 대분수입니다.
- 자연수 부분이 5입니다.
- 분모가 5보다 작습니다.

$5\dfrac{1}{2},5\dfrac{1}{3},5\dfrac{2}{3},5\dfrac{1}{4},5\dfrac{2}{4},5\dfrac{3}{4}$

4 수 카드 5장으로 분수를 만들려고 합니다.

$\boxed{3}\ \boxed{5}\ \boxed{7}\ \boxed{8}\ \boxed{6}$

2장을 사용하여 분모와 분자의 차가 2인 가분수를 모두 만드세요.

$\dfrac{5}{3},\dfrac{7}{5},\dfrac{8}{6}$

3장을 사용하여 분모와 분자의 합이 13이고 4보다 작은 대분수를 모두 만드세요.

$3\dfrac{6}{7},3\dfrac{5}{8}$

62·63쪽

1 두 분수의 크기를 비교하여 더 큰 분수를 □ 안에 쓰세요.

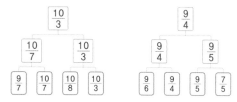

2 다음 분수를 큰 것부터 차례대로 적으세요.

$$\frac{13}{4} \quad \frac{9}{7} \quad \frac{9}{4} \quad \frac{8}{7} \quad \frac{13}{3}$$

$$\frac{13}{3} , \frac{13}{4} , \frac{9}{4} , \frac{9}{7} , \frac{8}{7}$$

$$\frac{15}{9} \quad \frac{20}{9} \quad \frac{22}{7} \quad \frac{20}{7} \quad \frac{15}{11}$$

$$\frac{22}{7} , \frac{20}{7} , \frac{20}{9} , \frac{15}{9} , \frac{15}{11}$$

3 분수의 크기를 비교하여 ○ 안에 >, <를 쓰세요.

$6\frac{3}{5} \;(>)\; 6\frac{1}{2}$ 　 $3\frac{5}{8} \;(<)\; 3\frac{5}{6}$ 　 $5\frac{1}{2} \;(<)\; 5\frac{7}{13}$

$4\frac{5}{7} \;(<)\; 4\frac{5}{6} \;(<)\; 5\frac{2}{6}$ 　 $8\frac{2}{4} \;(>)\; 8\frac{2}{5} \;(>)\; 7\frac{4}{5}$

4 수 카드 4장 중에서 3장을 사용하여 가장 큰 대분수와 가장 작은 대분수를 각각 만드세요.

| 5 | 2 | 8 | 7 | 가장 큰 대분수: $8\frac{5}{7}$ 　 가장 작은 대분수: $2\frac{5}{8}$

| 4 | 7 | 3 | 6 | 가장 큰 대분수: $7\frac{3}{4}$ 　 가장 작은 대분수: $3\frac{4}{7}$

5 대분수와 가분수의 크기를 비교하여 보세요.

$\frac{23}{6} \;(>)\; 3\frac{2}{7} = \boxed{\frac{23}{7}}$ 　 $4\frac{3}{8} \;(<)\; \frac{37}{8} = 4\boxed{\frac{5}{8}}$

$\frac{22}{4} \;(<)\; 5\frac{3}{4} = \boxed{\frac{23}{4}}$ 　 $2\frac{9}{11} \;(>)\; \frac{30}{11} = 2\boxed{\frac{8}{11}}$

6 조건에 맞는 분수를 구하세요.

- 가분수입니다.
- 3보다 크고 4보다 작습니다.
- 분모와 분자의 차가 9입니다.

$\boxed{\frac{13}{4}}$

64쪽

7 □ 안에 들어갈 수 있는 수를 모두 쓰세요.

$2\frac{2}{7} < \frac{\square}{7} < 2\frac{6}{7}$ 　 17, 18, 19

$\frac{7}{4} < \square\frac{1}{4} < \frac{25}{4}$ 　 2, 3, 4, 5

$3\frac{5}{9} < \frac{\square}{9} < 4\frac{2}{9}$ 　 33, 34, 35, 36, 37

8 과자를 예은이는 $2\frac{3}{7}$ 봉지, 호진이는 $\frac{15}{6}$ 봉지, 규원이는 $2\frac{5}{6}$ 봉지 먹었습니다. 과자를 가장 많이 먹은 사람은 누구일까요?

$\boxed{규원}$

분수의 덧셈과 뺄셈

285 분수의 덧셈

개념원리

분모가 같은 분수의 덧셈을 알아봅시다.

$\dfrac{2}{8} + \dfrac{5}{8} = \dfrac{\boxed{2} + \boxed{5}}{8} = \dfrac{\boxed{7}}{8}$

$\dfrac{2}{8}$ $\dfrac{5}{8}$ $\boxed{\dfrac{7}{8}}$

$\dfrac{2}{8}$는 $\dfrac{1}{8}$이 2개, $\dfrac{5}{8}$는 $\dfrac{1}{8}$이 5개입니다. $\dfrac{2}{8} + \dfrac{5}{8}$은 $\dfrac{1}{8}$이 7개이므로 $\dfrac{7}{8}$입니다.

$\dfrac{2}{6} + \dfrac{3}{6} = \dfrac{\boxed{2} + \boxed{3}}{6} = \dfrac{\boxed{5}}{6}$

$\dfrac{2}{6}$ $\dfrac{3}{6}$ $\boxed{\dfrac{5}{6}}$

$\dfrac{5}{10} + \dfrac{2}{10} = \dfrac{\boxed{5} + \boxed{2}}{10} = \dfrac{\boxed{7}}{10}$

$\dfrac{5}{10}$ $\dfrac{2}{10}$ $\boxed{\dfrac{7}{10}}$

$\dfrac{3}{9} + \dfrac{4}{9} = \dfrac{\boxed{3} + \boxed{4}}{9} = \dfrac{\boxed{7}}{9}$

$\dfrac{3}{9}$ $\dfrac{4}{9}$ $\boxed{\dfrac{7}{9}}$

$\dfrac{5}{7} + \dfrac{3}{7} = \dfrac{\boxed{5} + \boxed{3}}{7} = \dfrac{\boxed{8}}{7}$

$\dfrac{4}{7} + \dfrac{6}{7} = \dfrac{\boxed{4} + \boxed{6}}{7} = \dfrac{\boxed{10}}{7}$

$\dfrac{2}{5} + \dfrac{3}{5} = \dfrac{\boxed{2} + \boxed{3}}{5} = \dfrac{\boxed{5}}{5}$

$\dfrac{3}{9} + \dfrac{2}{9} = \dfrac{\boxed{3} + \boxed{2}}{9} = \dfrac{\boxed{5}}{9}$

$\dfrac{7}{8} + \dfrac{6}{8} = \dfrac{\boxed{7} + \boxed{6}}{8} = \dfrac{\boxed{13}}{8}$

$\dfrac{7}{6} + \dfrac{8}{6} = \dfrac{\boxed{7} + \boxed{8}}{6} = \dfrac{\boxed{15}}{6}$

$\dfrac{1}{5} + \dfrac{3}{5} = \dfrac{4}{5}$ $\dfrac{2}{3} + \dfrac{2}{3} = \dfrac{4}{3}$ $\dfrac{3}{4} + \dfrac{6}{4} = \dfrac{9}{4}$

$\dfrac{6}{7} + \dfrac{8}{7} = \dfrac{14}{7}$ $\dfrac{8}{5} + \dfrac{3}{5} = \dfrac{11}{5}$ $\dfrac{5}{6} + \dfrac{8}{6} = \dfrac{13}{6}$

$\dfrac{2}{10} + \dfrac{7}{10} = \dfrac{9}{10}$ $\dfrac{8}{12} + \dfrac{9}{12} = \dfrac{17}{12}$ $\dfrac{14}{15} + \dfrac{17}{15} = \dfrac{31}{15}$

응용연산

1 분수의 덧셈을 하여 빈칸에 알맞은 수를 쓰세요.

+	$\dfrac{1}{9}$	$\dfrac{4}{9}$
$\dfrac{3}{9}$	$\dfrac{4}{9}$	$\dfrac{7}{9}$
$\dfrac{4}{9}$	$\dfrac{5}{9}$	$\dfrac{8}{9}$

+	$\dfrac{2}{8}$	$\dfrac{9}{8}$
$\dfrac{3}{8}$	$\dfrac{5}{8}$	$\dfrac{12}{8}$
$\dfrac{7}{8}$	$\dfrac{9}{8}$	$\dfrac{16}{8}$

2 ↓가 가리키는 분수를 쓰고 두 분수의 합을 구하세요.

$\dfrac{3}{9}$ $\dfrac{8}{9}$

$\dfrac{3}{9} + \dfrac{8}{9} = \dfrac{11}{9}$

$\dfrac{5}{7}$ $\dfrac{13}{7}$

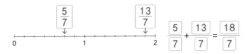

$\dfrac{5}{7} + \dfrac{13}{7} = \dfrac{18}{7}$

3 수 카드 3장 중에서 2장을 사용하여 가장 큰 진분수와 가장 작은 진분수를 만들고 두 분수의 합을 구하세요.

 $\dfrac{8}{9} + \dfrac{5}{9} = \dfrac{13}{9}$

  $\dfrac{6}{7} + \dfrac{2}{7} = \dfrac{8}{7}$

  $\dfrac{10}{11} + \dfrac{5}{11} = \dfrac{15}{11}$

4 소영이는 매일 아침에 산책을 합니다. 어제는 $\dfrac{5}{6}$ 시간, 오늘은 $\dfrac{2}{6}$ 시간 동안 산책을 하였습니다. 소영이가 어제와 오늘 산책한 시간은 모두 몇 시간일까요?

식 $\dfrac{5}{6} + \dfrac{2}{6} = \dfrac{7}{6}$ 답 $\dfrac{7}{6}$ 시간

5 정철이는 등산을 하였습니다. 전체 등반 코스의 $\dfrac{5}{12}$ 만큼 올라가 휴식을 취한 후 $\dfrac{6}{12}$ 만큼 더 올라갔습니다. 정철이는 전체 등반 코스의 얼마만큼 올라갔을까요?

식 $\dfrac{5}{12} + \dfrac{6}{12} = \dfrac{11}{12}$ 답 $\dfrac{11}{12}$

286 분수의 뺄셈

분모가 같은 분수의 뺄셈을 알아봅시다.

$$\frac{9}{6} - \frac{4}{6} = \frac{9-4}{6} = \frac{5}{6}$$

$\frac{9}{6}$는 $\frac{1}{6}$이 9개, $\frac{4}{6}$는 $\frac{1}{6}$이 4개입니다. $\frac{9}{6} - \frac{4}{6}$은 $\frac{1}{6}$이 5개이므로 $\frac{5}{6}$입니다.

$$\frac{6}{7} - \frac{3}{7} = \frac{6-3}{7} = \frac{3}{7}$$

$$\frac{7}{8} - \frac{2}{8} = \frac{7-2}{8} = \frac{5}{8}$$

$$\frac{8}{5} - \frac{4}{5} = \frac{8-4}{5} = \frac{4}{5}$$

$$\frac{15}{9} - \frac{7}{9} = \frac{15-7}{9} = \frac{8}{9}$$

$$\frac{2}{3} - \frac{1}{3} = \frac{2-1}{3} = \frac{1}{3}$$

$$\frac{9}{8} - \frac{4}{8} = \frac{9-4}{8} = \frac{5}{8}$$

$$\frac{11}{7} - \frac{5}{7} = \frac{11-5}{7} = \frac{6}{7}$$

$$\frac{13}{6} - \frac{2}{6} = \frac{13-2}{6} = \frac{11}{6}$$

$$\frac{13}{11} - \frac{9}{11} = \frac{13-9}{11} = \frac{4}{11}$$

$$\frac{21}{15} - \frac{8}{15} = \frac{21-8}{15} = \frac{13}{15}$$

$$\frac{4}{5} - \frac{2}{5} = \frac{2}{5}$$

$$\frac{11}{8} - \frac{4}{8} = \frac{7}{8}$$

$$\frac{15}{2} - \frac{10}{2} = \frac{5}{2}$$

$$\frac{17}{9} - \frac{12}{9} = \frac{5}{9}$$

$$\frac{21}{10} - \frac{2}{10} = \frac{19}{10}$$

$$\frac{11}{7} - \frac{9}{7} = \frac{2}{7}$$

$$\frac{17}{6} - \frac{16}{6} = \frac{1}{6}$$

$$\frac{13}{3} - \frac{8}{3} = \frac{5}{3}$$

$$\frac{21}{4} - \frac{18}{4} = \frac{3}{4}$$

응용연산

1 분수의 뺄셈을 하여 빈칸에 알맞은 수를 쓰세요.

$-\dfrac{2}{8}$

$\frac{3}{8}$	$\frac{1}{8}$
$\frac{5}{8}$	$\frac{3}{8}$
$\frac{9}{8}$	$\frac{7}{8}$

$-\dfrac{3}{6}$

$\frac{10}{6}$	$\frac{7}{6}$
$\frac{5}{6}$	$\frac{2}{6}$
$\frac{8}{6}$	$\frac{5}{6}$

$-\dfrac{5}{9}$

$\frac{6}{9}$	$\frac{1}{9}$
$\frac{13}{9}$	$\frac{8}{9}$
$\frac{8}{9}$	$\frac{3}{9}$

2 수직선의 빈칸에 알맞은 분수를 쓰고 분수의 뺄셈을 하세요.

$$\frac{8}{9} - \frac{4}{9} = \frac{4}{9}$$

$$\frac{12}{7} - \frac{5}{7} = \frac{7}{7}$$

3 □안에 알맞은 수를 쓰세요.

$\frac{8}{7}$은 $\frac{1}{7}$이 8 개, $\frac{4}{7}$은 $\frac{1}{7}$이 4 개

$\frac{8}{7} - \frac{4}{7}$는 $\frac{1}{7}$이 4 개이므로

$$\Rightarrow \frac{8}{7} - \frac{4}{7} = \frac{4}{7}$$

4 수 카드 4장 중에서 2장을 사용하여 분모가 7인 가장 큰 가분수와 가장 작은 가분수를 만들고 두 분수의 차를 구하세요.

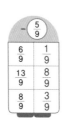

8	15	7	4

$$\frac{15}{7} - \frac{8}{7} = \frac{7}{7}$$

5 동화책을 수희는 $\frac{9}{6}$ 시간 동안 읽었고, 정호는 $\frac{4}{6}$ 시간 동안 읽었습니다. 수희는 정호보다 몇 시간 더 읽었을까요?

식  $\dfrac{9}{6} - \dfrac{4}{6} = \dfrac{5}{6}$

답 $\dfrac{5}{6}$ 시간

6 사과나무의 높이는 $\frac{15}{8}$ m이고, 감나무의 높이는 $\frac{25}{8}$ m입니다. 감나무는 사과나무보다 얼마나 더 높을까요?

식  $\dfrac{25}{8} - \dfrac{15}{8} = \dfrac{10}{8}$

답 $\dfrac{10}{8}$ m

287 분수의 덧셈과 뺄셈 (3일)

개념 두 분수의 덧셈과 뺄셈을 하고 그 결과를 대분수로 나타내어 봅시다.

$$\frac{5}{6} + \frac{2}{6} = \frac{5+2}{6} = \frac{7}{6}$$
$$= 1\frac{1}{6}$$

$$\frac{15}{4} - \frac{8}{4} = \frac{15-8}{4} = \frac{7}{4}$$
$$= 1\frac{3}{4}$$

$$\frac{8}{5} + \frac{6}{5} = \frac{8+6}{5} = \frac{14}{5}$$
$$= 2\frac{4}{5}$$

$$\frac{15}{7} - \frac{2}{7} = \frac{15-2}{7} = \frac{13}{7}$$
$$= 1\frac{6}{7}$$

$$\frac{3}{8} + \frac{10}{8} = \frac{3+10}{8} = \frac{13}{8}$$
$$= 1\frac{5}{8}$$

$$\frac{17}{9} - \frac{1}{9} = \frac{17-1}{9} = \frac{16}{9}$$
$$= 1\frac{7}{9}$$

$$\frac{11}{10} + \frac{13}{10} = \frac{11+13}{10} = \frac{24}{10}$$
$$= 2\frac{4}{10}$$

$$\frac{31}{11} - \frac{19}{11} = \frac{31-19}{11} = \frac{12}{11}$$
$$= 1\frac{1}{11}$$

두 분수의 계산 결과를 대분수로 나타내세요.

$$\frac{3}{4} + \frac{2}{4} = \frac{5}{4} = 1\frac{1}{4}$$

$$\frac{14}{10} + \frac{17}{10} = \frac{31}{10} = 3\frac{1}{10}$$

$$\frac{21}{6} - \frac{2}{6} = \frac{19}{6} = 3\frac{1}{6}$$

$$\frac{23}{9} + \frac{14}{9} = \frac{37}{9} = 4\frac{1}{9}$$

$$\frac{32}{5} - \frac{13}{5} = \frac{19}{5} = 3\frac{4}{5}$$

$$\frac{3}{7} + \frac{22}{7} = \frac{25}{7} = 3\frac{4}{7}$$

$$\frac{33}{8} - \frac{14}{8} = \frac{19}{8} = 2\frac{3}{8}$$

$$\frac{23}{11} + \frac{31}{11} = \frac{54}{11} = 4\frac{10}{11}$$

$$\frac{23}{6} - \frac{8}{6} = \frac{15}{6} = 2\frac{3}{6}$$

$$\frac{12}{11} + \frac{13}{11} = \frac{25}{11} = 2\frac{3}{11}$$

$$\frac{25}{4} - \frac{6}{4} = \frac{19}{4} = 4\frac{3}{4}$$

$$\frac{26}{5} + \frac{16}{5} = \frac{42}{5} = 8\frac{2}{5}$$

$$\frac{17}{9} - \frac{3}{9} = \frac{14}{9} = 1\frac{5}{9}$$

$$\frac{15}{7} + \frac{15}{7} = \frac{30}{7} = 4\frac{2}{7}$$

응용연산

1 빈칸에 알맞은 분수를 쓰세요.

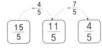

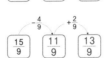

2 다음과 같이 두 분수의 합과 차를 구하세요. 단, 계산 결과가 가분수이면 대분수로 나타내세요.

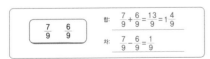

합: $\frac{7}{9} + \frac{6}{9} = \frac{13}{9} = 1\frac{4}{9}$

차: $\frac{7}{9} - \frac{6}{9} = \frac{1}{9}$

$\boxed{\frac{6}{5} \quad \frac{3}{5}}$

합: $\frac{6}{5} + \frac{3}{5} = \frac{9}{5} = 1\frac{4}{5}$

차: $\frac{6}{5} - \frac{3}{5} = \frac{3}{5}$

$\boxed{\frac{5}{7} \quad \frac{15}{7}}$

합: $\frac{5}{7} + \frac{15}{7} = \frac{20}{7} = 2\frac{6}{7}$

차: $\frac{15}{7} - \frac{5}{7} = \frac{10}{7} = 1\frac{3}{7}$

3 두 분수를 각각 구하세요.

- 두 분수는 모두 분모가 11입니다.
- 분자의 합은 11이고, 분자의 차는 3입니다.

$\boxed{\frac{4}{11}} \quad \boxed{\frac{7}{11}}$

- 두 분수의 차는 $\frac{5}{9}$이고, 합은 $\frac{11}{9}$입니다.

$\boxed{\frac{3}{9}} \quad \boxed{\frac{8}{9}}$

4 수 카드 3장 중에서 2장을 사용하여 만들 수 있는 가장 큰 진분수와 가장 작은 진분수의 합과 차를 구하세요. 단, 계산 결과가 가분수이면 대분수로 나타내세요.

 3 9 8

두 분수의 합: $1\frac{2}{9}$

두 분수의 차: $\frac{5}{9}$

5 길이가 각각 $\frac{15}{7}$ m와 $\frac{2}{7}$ m인 색 테이프 2장이 있습니다.

두 색 테이프의 길이의 합을 대분수로 나타내세요.

식 $\frac{15}{7} + \frac{2}{7} = \frac{17}{7} = 2\frac{3}{7}$ 답 $2\frac{3}{7}$ m

두 색 테이프의 길이의 차를 대분수로 나타내세요.

식 $\frac{15}{7} - \frac{2}{7} = \frac{13}{7} = 1\frac{6}{7}$ 답 $1\frac{6}{7}$ m

□가 있는 분수의 덧셈과 뺄셈

□가 있는 분수의 덧셈과 뺄셈을 알아봅시다.

$\dfrac{3}{5}+\dfrac{\boxed{6}}{5}=\dfrac{9}{5}$

$\dfrac{12}{9}-\dfrac{\boxed{8}}{9}=\dfrac{4}{9}$

$\dfrac{\boxed{5}}{6}+\dfrac{4}{6}=\dfrac{9}{6}$

$\dfrac{11}{8}-\dfrac{5}{8}=\dfrac{6}{8}$

$\dfrac{3}{7}+\dfrac{\boxed{8}}{7}=\dfrac{11}{7}$

$\dfrac{17}{10}-\dfrac{\boxed{9}}{10}=\dfrac{8}{10}$

$\dfrac{3}{6}+\dfrac{\boxed{8}}{6}=\dfrac{11}{6}$ ・ $\dfrac{\boxed{3}}{3}+\dfrac{5}{3}=\dfrac{8}{3}$ ・ $\dfrac{9}{7}+\dfrac{\boxed{7}}{7}=\dfrac{16}{7}$

$\dfrac{\boxed{14}}{5}-\dfrac{6}{5}=\dfrac{8}{5}$ ・ $\dfrac{21}{4}-\dfrac{\boxed{18}}{4}=\dfrac{3}{4}$ ・ $\dfrac{\boxed{41}}{9}-15=\dfrac{26}{9}$

$\dfrac{\boxed{8}}{8}+\dfrac{5}{8}=\dfrac{13}{8}$ ・ $\dfrac{6}{5}+\dfrac{\boxed{6}}{5}=\dfrac{12}{5}$ ・ $\dfrac{\boxed{9}}{10}+\dfrac{3}{10}=\dfrac{12}{10}$

$\dfrac{9}{11}-\dfrac{\boxed{7}}{11}=\dfrac{2}{11}$ ・ $\dfrac{\boxed{11}}{7}-\dfrac{5}{7}=\dfrac{6}{7}$ ・ $\dfrac{23}{12}-\dfrac{\boxed{5}}{12}=\dfrac{18}{12}$

$\dfrac{7}{3}+\dfrac{\boxed{7}}{3}=\dfrac{14}{3}$ ・ $\dfrac{\boxed{11}}{5}+\dfrac{6}{5}=\dfrac{17}{5}$ ・ $\dfrac{10}{8}+\dfrac{\boxed{7}}{8}=\dfrac{17}{8}$

$\dfrac{\boxed{23}}{9}-3=\dfrac{20}{9}$ ・ $\dfrac{23}{13}-\dfrac{\boxed{12}}{13}=\dfrac{11}{13}$ ・ $\dfrac{\boxed{31}}{7}-10=\dfrac{21}{7}$

응용연산

1 분수의 덧셈과 뺄셈을 하여 빈칸에 알맞은 수를 쓰세요. (단, 뺄셈은 왼쪽 수에서 위쪽 수를 뺍니다.)

+	$\dfrac{2}{9}$	$\dfrac{3}{9}$
$\dfrac{5}{9}$	$\dfrac{7}{9}$	$\dfrac{8}{9}$
$\dfrac{8}{9}$	$\dfrac{10}{9}$	$\dfrac{11}{9}$

−	$\dfrac{2}{7}$	$\dfrac{5}{7}$
$\dfrac{6}{7}$	$\dfrac{4}{7}$	$\dfrac{1}{7}$
$\dfrac{16}{7}$	$\dfrac{14}{7}$	$\dfrac{11}{7}$

−	$\dfrac{3}{8}$	$\dfrac{4}{8}$
$\dfrac{6}{8}$	$\dfrac{3}{8}$	$\dfrac{2}{8}$
$\dfrac{11}{8}$	$\dfrac{8}{8}$	$\dfrac{7}{8}$

+	$\dfrac{8}{6}$	$\dfrac{4}{6}$
$\dfrac{7}{6}$	$\dfrac{15}{6}$	$\dfrac{11}{6}$
$\dfrac{5}{6}$	$\dfrac{13}{6}$	$\dfrac{9}{6}$

2 □안에 들어갈 수 있는 수를 모두 찾아 ○표 하세요.

$\dfrac{\square}{8}+\dfrac{5}{8}<\dfrac{12}{8}$

⑤ ⑥ 7 8 9

$\dfrac{9}{11}+\dfrac{\square}{11}>\dfrac{21}{11}$

10 11 12 ⑬ ⑭

$\dfrac{15}{7}-\dfrac{\square}{7}<\dfrac{7}{7}$

6 7 8 ⑨ ⑩

$\dfrac{17}{12}-\dfrac{\square}{12}>\dfrac{8}{12}$

⑦ ⑧ 9 10 11

3 다음 덧셈의 계산 결과가 진분수일 때 □안에 들어갈 수 있는 수를 모두 쓰세요.

$\dfrac{\square}{13}+\dfrac{7}{13}$ 1, 2, 3, 4, 5

4 $\dfrac{7}{11}$에 어떤 수를 더했더니 $\dfrac{12}{11}$가 되었습니다. 어떤 수를 □라고 하여 식을 세우고 어떤 수를 구하세요.

식 $\dfrac{7}{11}+\square=\dfrac{12}{11}$ 답 $\dfrac{5}{11}$

$\square=\dfrac{12}{11}-\dfrac{7}{11}=\dfrac{5}{11}$

5 어떤 수에 $\dfrac{2}{11}$를 더해야 할 것을 잘못하여 뺐더니 $\dfrac{10}{11}$이 되었습니다. 바르게 계산하면 얼마일까요?

잘못된 식 $\square-\dfrac{2}{11}=\dfrac{10}{11}$ 어떤 수: $\dfrac{12}{11}$

$\square=\dfrac{10}{11}+\dfrac{2}{11}=\dfrac{12}{11}$

바르게 계산하기: $\dfrac{12}{11}+\dfrac{2}{11}=\dfrac{14}{11}$ 답 $\dfrac{14}{11}$

6 대현이가 컵의 $\dfrac{4}{5}$만큼 남아 있는 우유에서 얼마를 마셨더니 $\dfrac{1}{5}$만큼 남았습니다. 대현이가 마신 우유는 컵의 몇 분의 몇일까요?

식 $\dfrac{4}{5}-\square=\dfrac{1}{5}$ 답 $\dfrac{3}{5}$

$\square=\dfrac{4}{5}-\dfrac{1}{5}=\dfrac{3}{5}$

 형성평가

1 분수의 덧셈을 하세요.

$\frac{5}{8} + \frac{7}{8} = \frac{12}{8}$　　　$\frac{8}{9} + \frac{11}{9} = \frac{19}{9}$　　　$\frac{10}{7} + \frac{1}{7} = \frac{11}{7}$

$\frac{7}{17} + \frac{9}{17} = \frac{16}{17}$　　　$\frac{11}{14} + \frac{5}{14} = \frac{16}{14}$　　　$\frac{18}{16} + \frac{13}{16} = \frac{31}{16}$

2 윤수는 책의 $\frac{7}{9}$ 을, 서희는 같은 책의 $\frac{8}{9}$ 을 읽었습니다. 윤수와 서희가 읽은 책의 양은 모두 얼마일까요?

식 $\frac{7}{9} + \frac{8}{9} = \frac{15}{9}$　　　답 $\frac{15}{9}$

3 분수를 뺄셈을 하여 빈칸에 알맞은 수를 쓰세요.

$-\frac{3}{10}$

$\frac{5}{10}$	$\frac{2}{10}$
$\frac{11}{10}$	$\frac{8}{10}$
$\frac{7}{10}$	$\frac{4}{10}$

$-\frac{7}{9}$

$\frac{15}{9}$	$\frac{8}{9}$
$\frac{8}{9}$	$\frac{1}{9}$
$\frac{12}{9}$	$\frac{5}{9}$

$-\frac{3}{6}$

$\frac{7}{6}$	$\frac{4}{6}$
$\frac{5}{6}$	$\frac{2}{6}$
$\frac{10}{6}$	$\frac{7}{6}$

4 □안에 알맞은 수를 쓰세요.

$\frac{13}{8}$ 은 $\frac{1}{8}$ 이 $\boxed{13}$ 개, $\frac{7}{8}$ 은 $\frac{1}{8}$ 이 $\boxed{7}$ 개

$\frac{13}{8} - \frac{7}{8}$ 은 $\frac{1}{8}$ 이 $\boxed{6}$ 개이므로

➡ $\frac{13}{8} - \frac{7}{8} = \frac{6}{8}$

5 빈칸에 알맞은 분수를 쓰세요.

$\boxed{\frac{9}{11}}$ $\xrightarrow{+\frac{4}{11}}$ $\boxed{\frac{13}{11}}$ $\xrightarrow{+\frac{8}{11}}$ $\boxed{\frac{21}{11}}$

$\boxed{\frac{17}{8}}$ $\xrightarrow{-\frac{9}{8}}$ $\boxed{\frac{8}{8}}$ $\xrightarrow{-\frac{3}{8}}$ $\boxed{\frac{5}{8}}$

$\boxed{\frac{5}{9}}$ $\xrightarrow{+\frac{17}{9}}$ $\boxed{\frac{22}{9}}$ $\xrightarrow{-\frac{5}{9}}$ $\boxed{\frac{17}{9}}$

$\boxed{\frac{23}{10}}$ $\xrightarrow{-\frac{8}{10}}$ $\boxed{\frac{15}{10}}$ $\xrightarrow{+\frac{4}{10}}$ $\boxed{\frac{19}{10}}$

---

6 지윤이는 물을 $\frac{5}{9}$ 컵, 효빈이는 $\frac{17}{9}$ 컵 가지고 있습니다.

지윤이와 효빈이가 가진 물의 양의 합을 대분수로 나타내세요.

식 $\frac{5}{9} + \frac{17}{9} = \frac{22}{9}$　　　답 $2\frac{4}{9}$ 컵

지윤이와 효빈이가 가진 물의 양의 차를 대분수로 나타내세요.

식 $\frac{17}{9} - \frac{5}{9} = \frac{12}{9}$　　　답 $1\frac{3}{9}$ 컵

7 □가 있는 분수의 덧셈과 뺄셈을 하세요.

$\frac{8}{5} + \frac{\boxed{4}}{5} = \frac{12}{5}$　　　$\frac{\boxed{4}}{8} + \frac{17}{8} = \frac{21}{8}$　　　$\frac{7}{12} + \frac{\boxed{8}}{12} = \frac{15}{12}$

$\frac{\boxed{23}}{7} - \frac{8}{7} = \frac{15}{7}$　　　$\frac{32}{11} - \frac{\boxed{16}}{11} = \frac{16}{11}$　　　$\frac{\boxed{32}}{9} - \frac{13}{9} = \frac{19}{9}$

8 어떤 수에서 $\frac{6}{7}$ 을 빼야 할 것을 잘못하여 더했더니 $\frac{25}{7}$ 가 되었습니다. 바르게 계산하면 얼마일까요?

잘못된 식 식 $\boxed{} + \frac{6}{7} = \frac{25}{7}$　　　어떤 수 : $\frac{19}{7}$

$\boxed{} = \frac{25}{7} - \frac{6}{7} = \frac{19}{7}$

바르게 계산하기 : 식 $\frac{19}{7} - \frac{6}{7} = \frac{13}{7}$　　　답 $\frac{13}{7}$

66

Numbers rule the universe.

99

"수가 우주를 지배한다"

Pythagoras, 피타고라스